D1191049

QUI A TUÉ
FRANK SHOOFEY?

MISE EN GARDE

Ce livre est un document choc faisant état d'expériences personnelles vécues par l'auteur. La véracité des faits mis au jour par l'auteur ne pouvant d'aucune façon être vérifiée, l'éditeur ne peut s'en porter garant. L'auteur assume l'entière responsabilité du contenu de cet ouvrage. Sa crédibilité est la seule garantie qu'il nous offre dans ce document. Bonne lecture.

L'Éditeur

LES ÉDITIONS DE L'ÉPOQUE
Une division de Québecmag (1984) inc.
3510, boul. St-Laurent, suite 300
Montréal, Qué., H2X 2V2
Tél.: (514) 286-1333

Directeur
Pierre Nadeau

Photos
Collection personnelle de l'auteur, Photo-Police
et Michel Tremblay

Distribution
Agence de Distribution Populaire (ADP) inc.
Tél.: (514) 523-1182

Dépôts légaux, troisième trimestre 1985:
Bibliothèque nationale du Québec et
Bibliothèque nationale du Canada

ISBN 2-89301-012-1

CLAUDE JODOIN

QUI A TUÉ FRANK SHOOFEY?

AVANT-PROPOS

Minuit quinze. Seul dans la solitude de ma demeu-re, j'écoute d'une oreille distraite une musique douce émanant de mon poste radio. Une interruption soudaine attire mon attention. Je délaisse pour un moment le bouquin que je suis en train de lire. C'est un bulletin spécial.

Un annonceur au débit rapide, mais neutre, décla-re: «Nous apprenons à l'instant que le criminaliste bien connu, Me Frank Shoofey, vient d'être assassiné à la porte de son bureau. Plus de détails au prochain bulletin de nouvelles.» Mon coeur se met à battre la chamade. Une sueur froide m'envahit insidieusement. Je ne peux réagir. Je suis comme paralysé. Un instant, je me refuse à faire face à la réalité... à la cruelle réalité.

«Non, non, ce n'est pas vrai. Pas Frank!» La musique continue. Nana Mouskouri chante *Liberté*. Je suis saisi d'une hargneuse rage. Je deviens fébrile. Je veux aller aux nouvelles. Impossible.

— Quel est le salaud qui a fait cette sinistre beso-gne?

Enfin, c'est l'heure du bulletin de nouvelles. Je veux en savoir plus long. Déception! Le bulletin est très laconique. Il n'y a rien de plus à apprendre.

Ma rage fait place à un immense sentiment de tristesse.

Pourquoi? Pourquoi? Frank ne méritait pas cela.

Frank Shoofey était mon ami. Il était, en fait, mon seul véritable ami. Nous avions fait nos débuts ensemble au Palais de Justice en 1965. Lui, comme jeune avocat, moi, comme chroniqueur judiciaire. Et nous avions tout de suite sympathisé. Lentement, une solide amitié s'était établie entre nous. Si bien qu'au bout de six mois nous étions devenus inséparables. Cet été-là, nous avons partagé un chalet à Sainte-Agathe où nous passions nos week-ends tranquilles.

Durant la semaine nous faisions régulièrement la tournée des cabarets de Montréal. Frank y faisait un recrutement subtil de clients.

Pour ma part, je me faisais connaître du milieu, source inépuisable de primeurs pour un journaliste.

Nous nous voyions tous les jours. Frank était ambitieux. Il voulait recruter rapidement un bon noyau de clients.

Et comme on le trouvait très sympathique, les contacts furent faciles. Plusieurs groupes l'adoptèrent rapidement. Rien de surprenant à cela, il était toujours disponible.

Un simple coup de fil et il allait serrer la main d'un client incarcéré, même s'il était quatre heures du matin, et ce, sans s'inquiéter des honoraires à venir.

À ses débuts, il était évidemment inexpérimenté, mais les juges apprirent vite à apprécier ses talents. En moins de deux ans il s'était créé une réputation particulièrement intéressante.

Les années passèrent. En 1970, nous avons soudainement décidé de nous offrir un voyage à la Barbade. Cette randonnée nous marqua tous deux pour la vie! Nous y avons rencontré Claude Dubois, le chef du terrible clan qui fit trembler toute la ville durant près de 20 ans! Un peu plus tard, nous avons entrepris un long voyage en Hollande, en Grèce et au Liban. Je l'accompagnai dans ce pèlerinage au pays de ses ancêtres et j'étais avec lui quand il rencontra son bisaïeul et quelques cousins dans un petit village, Rashaya Wadi, près de la frontière israélienne.

Lors de la fondation du journal *Photo-Police*, Frank Shoofey hérita d'une chronique hebdomadaire. Il me demanda de collaborer à sa rédaction.

Frank Shoofey prenait son rôle de chroniqueur au sérieux. Chaque semaine il discutait longuement avec moi du sujet qu'il voulait traiter. D'ailleurs, nous discutions très souvent des problèmes entourant la Justice.

Au cours de ces discussions, j'ai découvert une facette peu connue de la personnalité de Frank Shoofey. Frank était un être qui avait un haut sens moral. Il n'a jamais été touché par ce cynisme qui est la marque de commerce de certains criminalistes. Il croyait à la Justice dans toute sa rigueur et dans toute sa mansuétude. Il était prêt à se donner tout entier à la cause de ses clients, mais il tentait d'éviter les compromissions qui ont parfois cours dans le métier qu'il pratiquait avec amour. Nous dînions régulièrement ensemble au moins deux fois par semaine.

Sa mère, qui habitait le nord de la ville, me recevait au moins une fois par mois.

Si Frank était témoin d'une injustice, il me la signalait et, j'écrivais aussitôt un article à paraître dans le *Journal de Montréal*.

J'ai vu grandir ses ambitions politiques. Je l'ai vu travailler d'arrache-pied pour les petites gens du comté de Saint-Jacques où il avait de solides amarres. J'ai souvent poireauté durant de longues heures dans la salle d'attente de son bureau pendant qu'il recevait des dizaines de sans grades et qu'il réglait leurs multiples problèmes.

J'étais avec lui quand le chef du Parti libéral, Robert Bourassa, lui apprit qu'il devait céder sa place à René Gagnon, aux élections de 1970. Frank était atterré. On l'écarta de la même façon à quatre autres reprises et, chaque fois, il réagit comme s'il avait reçu un coup de poignard au coeur. C'est malheureux, car Frank Shoofey aurait très certainement été le meilleur député pour le comté de Saint-Jacques où toute la population le portait littéralement sur la main.

En 1975, je quittais le *Journal de Montréal* et me retrouvais sans emploi. Toujours fidèle, Frank se tint à mes côtés. Il me réconforta. Plus tard, quand je me retrouvai dans la dèche, il m'avança discrètement des fonds qui me permirent de survivre.

En 1981, alors que j'entrepris la longue période de réflexion qui allait se terminer par un grand saut de l'autre côté de la barricade... Frank, qui était très près de moi, sentait que cela n'allait pas. Lentement, il essaya de susciter des confidences. Je ne voulais pas le mêler à cette grave décision qui allait faire de moi un délateur.

Un soir où nous étions seuls à son bureau, il me dit:

«C'est drôle, Claude, je sens que tu es rempli de remords. Je te trouve morose. Je te comprends. Nous sommes pris tous deux dans un engrenage. Parfois je me sens broyé par le métier que je fais. Et j'ai l'impression que, de ton côté, tu es écrasé par les événements. Ne te laisse pas abattre. Essaie de voir clair en toi. Et choisis la voie que tu considères la meilleure.»

Et quand la Justice étala mes tares au grand jour et qu'on m'affubla du titre de délateur, seul Frank prit contact avec moi. Il voulait me voir, me parler. La rencontre eut lieu fort discrètement au bureau de l'anti-gang, rue Lebrun. Nous avons causé fort longtemps de la décision que j'avais prise. Avant de me quitter Frank me dit:

«Claude, n'oublie jamais que je suis ton ami et que je serai toujours ton ami.»

Ce fut mon dernier contact avec lui, mais je me souviendrai toujours de ses paroles.

J'ai longuement réfléchi avant de me décider à écrire ce livre. Mais il fallait que je le fasse. Avec mes faibles moyens, je veux lui rendre un dernier hommage.

À MON AMI FRANK SHOOFEY

fauché dans la force de l'âge par les balles d'un ignoble assassin.

Chapitre 1

QUI A TUÉ FRANK SHOOFEY?

Mardi, 15 octobre 1985. 23 h 15.

Franklin Dimitrios Shoofey, 44 ans, avocat-criminaliste, est cyniquement abattu à la porte de son bureau sis au cinquième étage, du 1030 est de la rue Cherrier, au coeur du «Faubourg à Mélasse». Pour Me Shoofey, une dure journée était enfin terminée. Il avait témoigné durant une bonne partie de la soirée devant la Commission athlétique, qui devait statuer sur le cas de Don King qui voulait s'associer comme promoteur à M. Henri Spitzer, un promoteur local. Ces messieurs voulaient présenter un match mettant en vedette Matthew Hilton.

Avant de quitter les lieux, Me Shoofey, comme s'était son habitude, replace à l'aide d'un peigne quelques mèches déplacées de sa perruque.

Un tueur anonyme l'attendait patiemment. C'était un tireur d'élite. Sans mot dire, il l'a descendu de quatre balles de cal. 32 à la tête. Frank n'a rien vu. Il s'est écroulé sur place, en toute innocence. La mort fut instantanée.

C'est le classique règlement de comptes. Comme il s'en produit une bonne vingtaine chaque année dans la région métropolitaine. Normalement, les truands tuent les truands. Ça fait partie d'un nettoyage néces-saire. Cette fois, le milieu s'est attaqué à un avocat. POURQUOI?

Personne n'a rien vu. Seule la réceptionniste, qui s'apprêtait à fermer boutique, a entendu les coups de feu. Sa première réaction: elle crut qu'un tube néon venait d'exploser. Le revolver meurtrier était-il muni d'un silencieux? Et quand elle vit Me Shoofey s'écrou-ler par terre sans émettre un son, elle crut qu'il s'était «enfargé dans les fleurs du tapis!» Une mare de sang la ramena vite à une cruelle réalité. Et quand elle saisit l'ampleur du drame qui venait de se dérouler, elle se réfugia dans un placard pour reprendre ses esprits.

Un lourd silence régnait dans la place. Il fallait donner l'alarme. Finalement, elle se risqua à quitter sa cachette. Elle n'osa même pas jeter un regard vers le cadavre de son patron qui gisait dans une mare de sang.

Elle se précipita sur le combiné et réussit à rejoin-dre au téléphone un associé du défunt, Me Réal Char-bonneau, qui lui ordonna de prévenir la police sur-le-champ.

Quelques minutes plus tard, une bonne vingtaine de policiers étaient sur les lieux. Comme la porte don-nant accès à l'édifice était fermée à clé, on crut que le meurtrier pouvait être encore bloqué à l'intérieur. L'équipe de SWAT encercla le quadrilatère et entreprit une fouille systématique de l'édifice. Peine perdue. Le meurtrier avait eu amplement le temps de prendre la fuite et de se perdre dans la nuit.

Avant même que les sergents-détectives Denis Ouimet et Gilles Gagnon de l'escouade des homicides de la police de la CUM n'aient eu le temps d'arriver sur les lieux, un inconnu logeait un appel téléphonique au journal *The Gazette* pour revendiquer l'assassinat au nom de l'Armée Rouge de libération libanaise!

La radio répandit la nouvelle. Des centaines de curieux accoururent sur les lieux. L'atmosphère était lourde. L'esprit n'était pas à la fête. Des collègues avocats: Me Gary Martin, Me Claude Grant, Me Réal Charbonneau, Me Pierre Morneau et autres arrivèrent en trombe. Ils ne pouvaient croire la cruelle réalité. Frank Shoofey, leur ami commun, avait été victime d'un règlement de comptes. Mais de quels comptes?

Des clients fidèles arrivèrent à leur tour. Ils avaient perdu un défenseur unique en son genre qui était à la fois leur avocat et leur ami. Monique Provençal, une vieille cliente, s'écroula en larmes dans les bras d'un ami.

Puis, lentement, timidement, une foule de petites gens du comté quittèrent leur domicile pour aller aux nouvelles. Pour eux, Frank Shoofey était presque un Dieu. Il était celui sur qui ils pouvaient toujours compter.

Une certaine hargne semble s'être installée chez les spectateurs. Une haine froide à l'endroit du (ou des) meurtrier(s) se dégage des commentaires. Puis, tout à coup, un long silence se crée. Les employés de la morgue quittent les lieux avec le cadavre de «l'avocat du peuple». Deux, trois têtes se découvrent... timidement... pour lui rendre un dernier hommage.

Au cours des jours qui suivirent, les commentaires élogieux inondèrent littéralement les médias d'information. Frank Shoofey n'avait que des amis.

Pour les petites gens, pour le commun des mortels, ce crime crapuleux est tout simplement inexplicable. Il n'est très certainement pas l'oeuvre d'un dément qui a perdu la tête.

Pour les gens du milieu, pour les avocatss-criminalistes, c'est une tout autre histoire. Car ce meurtre horrible semble signé. Et le téléphone arabe a fonctionné à plein rendement. La rumeur pointe inexorablement dans une direction.

Le pire c'est que le ou les auteurs, ceux qui ont télécommandé l'opération s'en tireront avec les honneurs de la guerre. Car Frank Shoofey a été exécuté par un professionnel de la gâchette qui a opéré sans aucune bavure. Il a agi comme un véritable fantôme. Personne ne l'a vu. Personne ne l'a aperçu. Il n'a même pas fait l'erreur commune de se débarrasser de l'arme du crime en quittant les lieux. Il ne craignait rien. Il n'a laissé aux policiers aucune trace qui puisse les mettre sur sa piste.

Le meurtrier possédait un net avantage car, le 9 mai 1979, il y avait eu répétition générale. Et les auteurs présumés s'en sont tirés avec l'apparente bénédiction de la Justice qui les a acquittés.

En effet, dès qu'ils ont amorcé leur enquête, les sergents-détectives Denis Ouimet et Gilles Gagnon ont vite été frappés par une étrange similitude: le meurtrier de Frank Shoofey a suivi exactement le même modus operandi que «l'inconnu» qui a fait passer Pierre-André Quintal de vie à trépas le 9 mai 1979. Une seule différence mineure, le calibre de l'arme employée.

Frank Shoofey a été abattu sur le palier de la porte de son bureau exactement comme Quintal. Pour atteindre l'étage, l'assassin a utilisé l'escalier de service, tout comme dans le cas de Quintal. Il n'a pu emprunter l'ascenseur puisque le poste de travail de la réceptionniste est situé exactement vis-à-vis de la porte. S'il s'était présenté de cette façon, elle l'aurait aperçu et pourrait fournir aux policiers, à tout le moins, une description générale.

Et il a pris la fuite par l'escalier de service qui conduit directement au garage de l'immeuble, tout comme l'assassin de Quintal. Comme la porte avant donnant sur la rue était fermée à clé, le meurtrier de Frank Shoofey ne tenait pas à rester coincé à l'intérieur.

En 1979, Pierre-André Quintal et Georges Lemay, notre célèbre passe-muraille, décidèrent de mettre sur pied un laboratoire clandestin pour fabriquer de la phencyclidine, une drogue très populaire chez les habitués.

Malheureusement pour eux, la GRC eut vent de leur projet et ils furent placés sous surveillance constante. On les observa en train d'acheter le matériel nécessaire à la fabrication de leur produit illégal et, le moment venu, ils furent tous deux mis sous arrêt.

Lors de leur comparution, le tribunal leur refusa tout cautionnement et ils se retrouvèrent en détention préventive à la prison de Parthenais.

Georges Lemay, très réaliste, savait fort bien qu'il n'avait aucune chance d'être élargi à cause de son passé très éloquent. Dans le cas de Quintal, c'était une tout autre histoire. Georges Lemay travailla avec acharnement de l'intérieur et, contre vents et marées, il obtint facilement l'élargissement de son complice qui se retrouva soudain à l'air libre.

Les deux compères s'étaient ménagé une astuce. Lemay voulait rester en contact avec son complice mais ce dernier ne pouvait lui rendre visite. Et il ne pouvait obtenir la permission de causer avec lui au téléphone. À l'époque, les prévenus ne pouvaient téléphoner qu'aux membres immédiats de leur famille, à ceux qui étaient autorisés à leur rendre visite ou à leur avocat.

Me Shoofey n'était pas l'avocat de Lemay ni celui de Quintal. Pourtant Lemay obtint la permission de téléphoner à Frank Shoofey presque à volonté. Il lui téléphonait à peu près tous les jours. Il fixait des rendez-vous à Quintal, au bureau de Me Shoofey et, sous prétexte de parler à son avocat, il pouvait causer avec lui à sa convenance.

Un soir, après avoir causé avec Georges Lemay, Quintal voulut quitter les lieux. On l'attendait. Il fut assassiné sur le palier de la porte, exactement comme Me Frank Shoofey. L'assassin se perdit dans la nature. Les policiers n'avaient absolument aucune piste... et le dossier se retrouva vite sur les tablettes.

Dans le milieu, cependant, la rumeur fit vite son tour de ville. Le meurtre avait été commandé de l'intérieur. Le prestige de Frank Shoofey était tel à l'époque que certains caïds prévinrent les planificateurs qu'ils n'acceptaient pas le fait que le meurtre ait été commis à la porte du bureau de leur avocat préféré. Et ces messieurs se le tinrent pour dit. Frank Shoofey était parfaitement au courant de ces rumeurs et on en discuta longuement à une occasion, à son bureau.

Le dossier continua à accumuler de la poussière jusqu'à ce que le célèbre Donald Lavoie décide de franchir le Rubicon et de se ranger du côté des forces de l'ordre.

Quelques mois plus tard, Alain Charron, Georges Lemay, François Leannens et Serge Charron étaient traduits devant le tribunal pour le meurtre de Quintal. Donald Lavoie et Paul Pomerleau étaient détenus avec Charron et Lemay à Parthenais au moment du drame.

Dans leurs témoignages au procès, ils expliquèrent candidement tout le processus de la conspiration, quel était le mobile de l'assassinat, comment le contrat avait été donné, comment on avait planifié le coup, etc.

Pour ma part, j'apportai mon grain de sel.

Au cours de ce procès, Me Frank Shoofey rendit témoignage d'une façon plutôt insolite. Il témoigna sous forme d'affidavit et n'eut pas à subir les foudres du contre-interrogatoire de ses collègues. Il confirma que Quintal se rendait souvent à son bureau qui servait de relais et que Georges Lemay profitait de l'occasion pour causer longuement avec lui.

Les avocats de la défense étaient Me Léo-René Maranda, Me Jacques Bouchard, Me Michel Vleminckx et Me Pierre Poupart. La preuve ainsi que l'habile défense ont fait en sorte que les accusés furent acquittés.

Pour la Justice, qui est aveugle, le meurtre de Quintal demeure donc toujours un mystère.

On ne saura probablement jamais qui en fut l'auteur.

Les faits nous permettent de déduire que le tueur à gages de Shoofey, ou un des ses sbires, a placé l'appel

23

téléphonique au journal *The Gazette* pour revendiquer l'assassinat au nom de l'Armée Rouge de libération du Liban. À ce moment-là, l'assassinat de Me Shoofey n'était pas encore connu du grand public. On pourrait croire que l'interlocuteur tentait de jeter de la poudre aux yeux des policiers et de les lancer sur une mauvaise piste. Mais il a agi d'une façon pour le moins insolite. Pourquoi a-t-il choisi le nom d'une organisation tout simplement inexistante? Ni les services de sécurité canadiens, ni la police de la CUM, ni la GRC, ni la CIA, et encore moins Interpol n'ont pu relever quelque trace que ce soit de cette organisation. Même les autorités libanaises n'en ont jamais entendu parler.

L'interlocuteur anonyme aurait facilement pu se réclamer du Front de libération de la Palestine, du El Fatah, de l'Amal, des milices chrétiennes du Liban. Ce sont là des noms très connus depuis que la télévision a envahi le salon des Québécois. Il a plutôt choisi de créer de toute pièce une organisation fictive qui ne s'est jamais manifestée depuis. Pourquoi? Serait-ce pour narguer les policiers?

Et l'on craint que ce meurtre sensationnel qui servira d'exemple et qui a fait trembler le monde judiciaire indique la renaissance d'une puissante organisation qui était en veilleuse depuis quelques années.

Les funérailles de Frank Shoofey attirèrent une foule extrêmement bigarrée. On y observa des clients fameux, des artistes qu'il connaissait bien, des sportifs venant de tous les domaines, un fort contingent des avocats de la défense, de nombreux journalistes, et une foule de petites gens du comté de Saint-Jacques et d'ailleurs, tous venus rendre un dernier hommage à «l'avocat du peuple».

Deux absences très remarquées. Aucun membre de la magistrature ne se rendit sur les lieux. Et le Parti libéral pour qui Frank Shoofey s'était dévoué corps et âme ne jugea pas bon d'y déléguer un représentant officiel. Décidément, la machine politique l'aura boudé jusqu'au dernier moment.

Sidérés par l'assassinat d'un collègue qu'ils aimaient bien, un groupe de criminalistes décidèrent d'unir leurs efforts et de créer un fonds pour offrir une récompense substantielle à quiconque fournirait des renseignements conduisant à l'arrestation du ou des meurtriers.

C'est le célèbre criminaliste Me Léo-René Maranda qui prit la tête de ce mouvement.

L'enquête policière a révélé qu'il n'existe aucun témoin oculaire qui puisse identifier le meurtrier. Il n'existe aussi aucune preuve technique valable. Il ne reste que deux possibilités. Ou bien un délateur se manifestera et acceptera de témoigner. Et, dans tel cas, il devrait toucher la récompense. Ou bien le meurtrier, farci de remords, confessera publiquement son crime.

Chapitre 2

FRANK SHOOFEY:
L'HOMME DERRIÈRE LA FAÇADE

Tout le Québec a connu Frank Shoofey. Il a fait la une de tous les journaux plus souvent qu'à son tour. Il savait faire flèche de tout bois! Et quand on feuilletait le journal, sa photo pouvait apparaître dans n'importe quelle section. Les chroniqueurs judiciaires, aussi bien que les chroniqueurs artistiques, sportifs ou politiques, lui faisaient la cour. Cet homme-orchestre était une source unique de nouvelles exclusives.

Il avait un sens de la publicité tellement poussé qu'on le retrouvait partout. Il a fait une bonne vingtaine d'apparitions à la télévision, principalement à l'émission *Madame est servie*. Il remplaçait régulièrement Claude Poirier à son émission *La filière* sur les ondes de CKVL. Il a même eu sa propre émission de lignes ouvertes à CJMS. Et pendant un temps il a été vice-président aux sports à ce poste du centre-ville! Pierre Pascau, Richard Desmarais et une foule de reporters ont recueillis ses commentaires.

Pour les journalistes, Frank était toujours disponible. C'était là son côté un peu cabotin. Il avait un besoin inné d'être reconnu. Partout, dans la rue, au prétoire, au restaurant, au Forum.

Certains de ses collègues, en sourdine, le traitaient d'arriviste. On le jalousait en secret.

Frank, c'était le petit gars né au coeur du *Red Light*, mais qui, à force de travail, était sorti de l'anonymat et était devenu quelqu'un. Il était fier de sa réussite même s'il devait en payer le prix. En effet, à cause de cette tapageuse publicité, Frank Shoofey n'avait presque pas de vie privée. Il commençait sa journée à huit heures du matin, et à 10 heures, le soir, il était encore au bureau, répondant à de multiples appels téléphoniques, recevant des clients, des connaissances, des pauvres gens dans la dèche. Sa marque de commerce, c'était sa disponibilité.

Pourtant, cet homme public était un grand timide; il ne se livrait que lorsqu'il était pleinement en confiance.

Frank Shoofey est né le 7 janvier 1941, dans un coquet petit logis situé au coin des rues Sanguinet et de La Gauchetière, en bordure de ce qui était alors le *Red Light* montréalais. Plusieurs années auparavant un noyau d'immigrants libanais s'était installé dans le secteur. Son père y était né et y avait grandi.

Ses parents, d'ascendance libanaise, étaient nés tous deux au Canada. Sa mère, Lucy, était originaire de la région de Joliette tandis que son père était un Montréalais pure laine. Frank eut une enfance sans histoire. À l'âge de six ans ses parents l'inscrivirent à l'école anglaise... mais il apprit vite le français dans la rue. Il avait autant de facilité à s'exprimer dans la langue de Molière que dans celle de Shakespeare.

Il était encore en pleine adolescence lorsqu'un drame s'abattit sur sa famille. Son père, un excellent comptable, mourut subitement d'une crise cardiaque. La famille se serra les coudes. Les oncles Philippe, Henri et Alex soutinrent la jeune veuve qui avait trois enfants à nourrir. Frank fut catapulté chef de famille et il prit son rôle au sérieux. Dès son entrée à l'école secondaire, il ambitionna de devenir avocat. Mais il lui fallait apporter une aide financière à sa mère. Durant les vacances, il travaillait çà et là.

Au cours de sa dernière année d'école secondaire, son oncle Alex, alors président d'un casino et d'un grand hôtel à Las Vegas, — le MGM Grand —, lui offrit du travail.

Frank se retrouva donc dans la capitale du jeu en qualité de croupier, de barman et de chauffeur privé. Ses gains servaient à payer ses études et à aider sa mère à subvenir aux besoins de la famille. Cela dura trois ans. Au cours de ses séjours à Las Vegas, Frank en profita pour établir une série de contacts aussi bien au Canada qu'aux États-Unis.

Il y rencontra le chanteur britannique Tom Jones et se lia vite d'amitié avec lui. La future vedette en était à ses débuts et Frank convainquit son oncle Alex de lui donner sa première chance. Quelques semaines plus tard Tom Jones débutait dans le Lounge du Casino: sa carrière était lancée.

Entre-temps, il poursuivait ses études en droit à l'université McGill. Il travailla comme clerc à l'étude Malouf et Hélal puis, alors qu'il était étudiant de quatrième année, il fut engagé par Me Maurice S. Hébert qui allait devenir son mentor. Frank Shoofey avait toujours rêvé de faire carrière comme criminaliste.

Il avait trouvé sa niche. Le droit civil ne l'intéressait pas. S'il avait choisi cette voie, il aurait pu facilement devenir l'un des grands ténors du Barreau. Mais ce n'était pas là sa vocation. En une occasion, il s'est mérité du haut du banc les félicitations du juge en chef de la Cour suprême pour la clarté et la concision du factum qu'il avait présenté. Au cours de sa carrière, il a remporté de très nombreuses victoires qui ont été trop vite oubliées.

Le grand problème, c'est qu'il a choisi d'être l'avocat de tout le monde, l'avocat du peuple. Sans qu'il veuille le reconnaître, il était bien souvent l'avocat de la veuve et de l'orphelin. Pour lui, il n'y avait pas de petite cause, il n'y avait que des gens aux prises avec des problèmes.

Bien que très friand de publicité, il ne choisissait pas les causes qu'il plaidait. Il aurait très bien pu, comme certains de ses collègues, choisir ses causes avec attention et trier ses clients sur le volet. Telle n'était pas sa façon de procéder. Sa porte était ouverte à tout le monde. Tout comme son coeur, d'ailleurs.

Frank Shoofey avait une perception tout à fait personnelle de la justice. Il avait aussi une philosophie bien à lui si bien que, au cours de sa carrière, il a opéré une espèce de centre de dépannage pour les gens dans le besoin. Quand un client se présentait à son cabinet, il ne voyait jamais en lui un bandit ou un criminel qui sollicitait son aide, mais plutôt un gars dans le besoin qui lui demandait de le secourir. Cette philosophie devait lui jouer souvent de vilains tours. Frank Shoofey n'avait qu'un seul défaut majeur. Il ne savait pas quand dire NON. Beaucoup d'experts-manipulateurs ont exploité cette faiblesse.

Frank était bienfaisant. Il n'hésitait jamais à se pencher sur le sort des personnes qui avaient subi des sévices de la part de ses clients. Il lui est même arrivé à plusieurs reprises de dépanner certaines victimes en leur remettant la plus grande partie du cachet qu'il avait touché de leur agresseur. Il passait ces gestes sous silence.

«C'est mon côté Robin des Bois, disait-il à ses intimes un peu à la blague. Je prends aux riches pour donner aux pauvres.»

Aussi surprenant que cela puisse paraître, Frank Shoofey ne lésinait pas sur les principes en matière de droit. Il essayait toujours de pratiquer sa profession le plus honnêtement possible, ce qui était loin d'être facile.

Je me souviens d'un incident particulier qui se déroula en février 1981. À l'époque, Donald Lavoie était devenu délateur et avait décidé de déballer son sac contre le clan des Dubois. Tout le groupe était traumatisé. Un soir que j'étais à son bureau en train de réviser sa chronique hebdomadaire qui paraissait dans *Photo-Police*, un des membres influents du clan fit son apparition avec Carl Lavoie, le frère de Donald. Il demanda à voir Frank Shoofey. Comme j'étais, à l'époque, impliqué jusqu'au cou dans les activités légales du clan, Frank me demanda d'assister à l'entretien.

On voulait tout simplement qu'il convainque Carl Lavoie de signer un affidavit à l'effet que son frère et lui s'étaient parjurés lors d'un vieux procès pour meurtre au terme duquel Lavoie avait été acquitté. À ma grande surprise, Frank entreprit de le convaincre de ne pas signer un tel affidavit, lui démontrant avec lucidité tous les dangers qu'il risquait. Il réussit presque à convaincre celui qui accompagnait Carl de la futilité du geste qu'il tentait de faire.

Quand ces deux personnages quittèrent les lieux, Frank me dit:

— Claude, je ne peux pas me résoudre à faire ce genre de travail. Je suis toujours prêt à rendre service, mais il y a des limites.

Frank détestait comme la peste préparer la défense de ses clients. Comme il était très pragmatique, il savait pertinemment que, plus souvent qu'autrement, telle défense est basée sur le parjure et qu'on espère que l'avocat va l'orchestrer.

Pour garder un soupçon de bonne conscience, les avocats emploient ordinairement une technique qu'ils qualifient ironiquement de «cours de droit».

Ils dissèquent tout simplement les témoignages éventuels en soulignant habilement leurs faiblesses et en pointant les pièges dans lesquels les témoins risquent de tomber. Le témoin intelligent apportera les correctifs nécessaires et le tour est joué.

Dans telle situation, Frank confiait ordinairement l'affaire à un associé, se donnant ainsi lui aussi bonne conscience.

Frank Shoofey avait aussi son côté travailleur social! Tout au début de sa carrière Frank fit des efforts soutenus pour tenter de réhabiliter ses jeunes clients. Il alla même jusqu'à trouver un emploi à Richard Blass alors que ce dernier en était à ses premières frasques! Il s'est vite rendu compte qu'il prêchait dans le désert. Et il abandonna cette voie qui le menait nulle part. Cependant, si un client sollicitait son aide et démontrait qu'il voulait sincèrement sortir du milieu, Frank n'hésitait jamais à s'impliquer. Au cours de sa carrière il a déniché des emplois pour une bonne centaine de clients et la plupart sont demeurés dans le droit chemin!

Frank Shoofey s'est plutôt attaché à faire de la prévention. Il avait grandi dans le *Red Light* et avait vécu aux côtés de centaines d'adolescents qui ont mal tourné. Il connaissait bien les problèmes des petits délinquants qui grandissent en milieu criminogène et qui en restent stigmatisés toute leur vie..

Avec ses faibles moyens, Frank voulut s'attaquer à la racine du mal et il travailla à améliorer le sort des mal nantis. Pour les jeunes de Saint-Jacques, il obtint un centre sportif.

Au cours des sept dernières années il fut le président du tournoi de baseball Pee Wee, qui a lieu chaque année au parc La Fontaine.

Il a soutenu, financièrement ou autrement, des dizaines de clubs de baseball et de clubs de hockey. Si les jeunes avaient besoin de nouveaux uniformes, il leur dénichait vite un commanditaire. Si un jeune avait besoin d'une paire de patins ou d'un gant de baseball, il ne partait jamais les mains vides.

Bien plus, Frank suivait de très près toutes ces activités. Il était toujours disponible.

Il a souvent rencontré des groupes de jeunes pour leur signaler les dangers de l'usage de la drogue. Et dans telles occasions, il savait être très éloquent parce qu'il parlait leur langage et ne leur faisait pas la morale.

Chaque année, avec la collaboration du club du Centre-Sud, il organisait un dépouillement d'arbre de Noël. Si une mère du quartier avait des problèmes avec son fils, il la recevait à son bureau et tentait de convaincre fiston de quitter la voie du crime.

Je pourrais ainsi continuer durant des dizaines de pages.

Souvent je l'ai entendu dire à un jeune:

— Change de vie. Je t'aime bien, mais je ne veux jamais t'avoir comme client.

Il n'hésitait jamais à négliger d'excellents clients pour apporter une aide active à un jeune qui avait fait un mauvais pas.

Pas surprenant qu'à sa mort les hommages à sa mémoire aient été unanimes.

Depuis déjà trois ou quatre ans, Frank Shoofey commençait à en avoir assez de sa carrière de criminaliste à succès.

— Tu sais, me dit-il un soir, si c'était à recommencer, je pense que je ferais carrière au sein de l'Aide juridique. J'en ai assez des pressions terribles qui sont notre lot quotidien. Les gros clients deviennent de plus en plus intraitables. Ils ont parfois des exigences inacceptables. Pour ce qui est des petits «punks», ils veulent jouer les durs et ils n'ont même pas la reconnaissance du ventre.

Chose curieuse, tout au long de sa carrière Frank Shoofey a presque toujours refusé d'accepter les mandats provenant de l'Aide juridique!

— Les cachets que l'on paie sont vraiment ridicules. Je préfère défendre les plus démunis «sur le bras».

Et il le faisait plus souvent que ses collègues pouvaient le soupçonner.

Il était aussi l'avocat des journalistes. Et au cours de sa carrière, il en a défendu une bonne trentaine. Il n'exigeait jamais de cachet. Mais si un scribe savait se montrer généreux, il se servait de cet argent pour aider quelque personne dans le besoin.

Pour lui, les émoluments passaient au second rang. Son intérêt premier, c'était la personne qui avait un problème.

Si un client était bien nanti, Shoofey facturait des honoraires normaux.

Par contre, si le client était dans la dèche, il oubliait la facture.

On manquera beaucoup cet être particulièrement attachant et dont la personnalité avait de multiples facettes. Ses collègues du Bareau lui ont rendu un hommage dithyrambique. Pourtant, il passera à l'histoire.

Non pas pour les brillantes victoires qu'il a remportées au prétoire. Non pas pour le battage publicitaire qui entourait tous ses déplacements. Non pas pour son dévouement à l'endroit des démunis du comté de Saint-Jacques et d'ailleurs. Non pas pour son implication dans le monde du sport...

Pour la première fois dans l'histoire judiciaire canadienne, les gens du milieu se sont attaqués à un
auxiliaire de la Justice. Pour la première fois un criminaliste a été victime d'un règlement de comptes.

Chapitre 3

FRANK SHOOFEY: L'AVOCAT

Frank Shoofey a toujours voulu pratiquer le droit criminel mais, situation pour le moins paradoxale, il n'a jamais rêvé d'une grande carrière. Lui, si friand de publicité, ne recherchait nullement la gloire, au prétoire.

Frank a eu sa chance quand Me Maurice S. Hébert l'a engagé comme clerc, en 1964. À l'époque, l'étude Hébert et Asssociés était probablement la boîte la plus prestigieuse de Montréal. En fait, la plupart des grands criminalistes de l'époque moderne y ont été formés.

Cette étude a compté dans ses rangs Me Michel Proulx, Me Jean-Guy Boilard, aujourd'hui juge à la Cour supérieure, Me Jacques Lamarche, juge au Tribunal de la jeunesse, Me Serge Ménard, Me Paul Lesage, Me Jacques Rolland, Me Pierre Morneau et des dizaines d'autres avocats renommés.

C'était, en fait, une véritable usine de droit. Chaque matin, le rôle de l'étude comportait une cinquantaine de causes des plus diverses que Me Hébert répartissait entre ses associés.

Frank y débuta comme clerc. Ce qui, en pratique, voulait dire qu'il était chargé des «commissions». Sa première tâche: on lui demanda d'aller chercher des sandwiches au «smoked meat» et des cafés pour ses associés seniors. Mais comme il était un travailleur acharné, on l'affecta vite à d'autres tâches. Un clerc n'étant pas avocat en titre, il lui est interdit de plaider! Mais comme Me Hébert voulait absolument d'excellents plaideurs comme associés éventuels, il veillait à ce que ses clercs acquièrent rapidement une expérience pratique des tribunaux.

Au bout de quelques semaines, Frank plaidait systématiquement toutes les demandes de remises, il enregistrait les plaidoyers de non-culpabilité aux comparutions quand la Couronne ne s'objectait pas à la remise en liberté de l'accusé, il veillait à la confection du rôle de ses associés, en fixant pour eux la date des enquêtes préliminaires et des procès, faisait de la recherche dans les dossiers, etc.

À ce rythme, il acquit vite une connaissance précieuse des coulisses du Palais et «plaida» devant à peu près tous les juges de la Cour des sessions de la paix et de la Cour municipale. Il lui arriva même, à cette époque, de plaider véritablement devant les Cours de banlieue où il défendit des gens accusés en vertu des règlements de la circulation.

À l'automne de 1965, Frank Shoofey était admis au Barreau de Montréal.

Me Hébert avait foi en la méthode brusque, à l'immersion totale. Frank était à peine installé à son bureau qu'il lui confia une première cause. Il n'avait que quatre jours pour s'y préparer. Il devait défendre, devant jury, un jeune homme accusé de viol.

À l'ouverture de l'instruction, Frank était excessivement nerveux. Il tremblait littéralement dans sa toge. On procéda rapidement au choix du jury. En préparant sa cause, Frank s'était rendu compte que l'affaire tournait autour de l'identification de l'accusé par la jeune victime. C'est sur ce point que l'affaire allait se jouer.

Tout au long de sa cléricature, Frank avait suivi comme son ombre son prestigieux patron, étudiant de très près ses techniques de contre-interrogatoire.

Me Maurice Hébert était un maître en la matière. Il déterminait à l'avance les points litigieux où il avait le plus de chance de faire se contredire le témoin et passait à l'attaque immédiatement visant la jugulaire. Il lui fallait ordinairement moins d'une heure pour atteindre son but.

Quand il n'avait pas l'intention de contester un témoignage, il se contentait de faire préciser quelques points obscurs.

Frank décida d'employer exactement la même tactique. Il était évident que la jeune fille avait subi des sévices et qu'elle avait été violée. Il ne contesta pas ce point. Les témoins de la Couronne défilèrent à un rythme accéléré. Quand la jeune victime se présenta dans la boîte il écouta religieusement sa version et la contre-interrogea doucement.

Il lui demanda de décrire son agresseur.

— Il mesurait environ six pieds et il portait une barbe de quelques jours.

— Combien pesait-il?

— Environ 175 livres.

— Comment était-il vêtu?

— Il portait un jean et un gros chandail de laine.

Il continua dans la même veine durant une bonne vingtaine de minutes. La description qu'elle fournissait ne collait pas vraiment à l'accusé. Me Shoofey établit que le drame s'était passé en pleine nuit, dans un endroit sombre et isolé.

À ce stade il tenta le grand coup.

— Êtes-vous absolument sûre que c'est bien l'accusé qui vous a agressée?

La jeune fille réfléchit longuement et, bien conditionnée par le contre-interrogatoire habile, elle répondit:

— Je crois que c'est lui.

— En êtes-vous absolument sûre?

— Il faisait noir. J'étais en panique... Non je ne suis pas sûre à 100 pour cent.

Il avait atteint son but. Il ne lui fallut plaider que durant une vingtaine de minutes pour arracher aux jurés un premier acquittement!

Les victoires se succédèrent rapidement. Durant quelques mois, Me Hébert assigna Frank à la Cour municipale où il défendait journellement les prostituées et les tenanciers de maisons de jeu. Ces demoiselles l'adoptèrent rapidement car il était toujours disponible. À l'époque, les juges accordaient des cautionnements de nuit.

Lorsqu'une personne était arrêtée pour un crime mineur, l'avocat de la défense avait le loisir de passer un coup de fil à un juge et de réclamer l'élargissement de son client.

Inutile de dire que la plupart des juges n'appréciaient pas outre mesure se faire réveiller aux petites heures du matin pour libérer une prostituée ou un parieur! Et les avocats de la défense marchaient sur des oeufs. Le jeu en valait-il la chandelle? Les clients connaissaient bien la coutume et ils insistaient fortement pour que leur avocat obtienne leur élargissement.

Frank Shoofey décida de prendre le taureau par les cornes! Comme il a toujours eu beaucoup d'entregent, il avait vite établi d'excellentes relations avec les juges de la Cour municipale, et une discrète enquête lui avait permis de déceler ceux qui étaient des couche-tard!

Il établit une rotation. Chaque jour, un juge particulier arrivait en tête de liste!

Côté client, il établit aussi des règles non écrites. Il ne placerait qu'un seul appel chaque soir, sur le coup de minuit, et réclamerait l'élargissement de tous ceux et celles qui avaient été appréhendés. Passé minuit, les clients devaient demeurer en cellules jusqu'au lendemain matin, à moins qu'il ne s'agisse d'un cas d'extrême urgence. Avec cette méthode les choses marchèrent comme sur des roulettes. Les clients savaient à quoi s'en tenir et les juges pouvaient dormir du sommeil du juste!

Me Shoofey remporta de très nombreuses victoires à la Cour municipale où il se bâtit une excellente réputation. Son truc était fort simple. Il préparait ses causes comme s'il s'agissait d'affaires de meurtre... et confondait les témoins de la Couronne par un habile interrogatoire.

Particulièrement, Me Shoofey se lança dans une grande campagne de recrutement dans laquelle je l'accompagnai souvent.

Il avait adopté les tactiques de son maître à penser, Me Maurice Hébert.

«Le client a besoin d'établir des relations personnelles avec son avocat, disait-il souvent. C'est une question de confiance. Il ne nous arrive pas comme un cheveu sur la soupe. Il faut le recruter sur son propre terrain!»

Tous les soirs, Frank était de service jusqu'à une heure du matin. Quand il avait fini de recevoir ses clients au bureau, il sautait dans sa voiture et faisait la tournée des grands ducs. Il visitait systématiquement tous les cabarets, et comme il ne buvait pratiquement pas d'alcool, il se contentait de savourer un Coke ou un Seven Up.

Quand un client se faisait appréhender on le rejoignait par le biais de son télé-chasseur et il se précipitait aux quartiers de détention pour s'occuper immédiatement de l'affaire.

Frank avait trouvé la formule! Et il lui resta fidèle jusqu'au moment de sa mort tragique.

Le nom de Frank devint vite un lieu commun dans le milieu. Au cours de ces années, il rencontra à peu près toutes les têtes d'affiche actuelles du milieu, qui en étaient à leurs premières armes.

C'est ainsi qu'il fut le premier défenseur de Bernard Provençal qui, à l'époque, ressemblait à un bon gros bébé joufflu avec ses joues roses et qui admirait sans réserve son frère Roger qui était déjà un caïd réputé au sein du gang de l'ouest. Roger et le groupe se tenaient dans un club de nuit, rue Bishop, qui était aussi un repaire de prostituées. Shoofey s'y rendait au moins deux fois par semaine et il y faisait double emploi: il se faisait connaître des caïds et il recrutait des clientes!

Frank gradua vite à la Cour des sessions où il plaidait des affaires beaucoup plus importantes.

Le nom de Frank Shoofey est inexorablement relié à celui de Richard Blass, qui fut sans doute son plus célèbre client. Les aventures du «Chat», ses frasques et son tempérament sanguinaire sont passés à la petite histoire judiciaire du Québec.

Mais on oublie trop souvent que Frank Shoofey a été le défenseur d'un personnage tout aussi fameux dont les exploits ont fait la manchette de tous les journaux du monde.

En effet, Frank était l'avocat en titre de Monica Proeitti, mieux connue sous le vocable de Monica la Mitraille, une jeune fille aux exploits tout simplement légendaires.

Il avait rencontré Monica un peu au hasard d'une visite dans un club de nuit de l'est de la ville. Ils avaient tous deux immédiatement sympathisé.

Monica était un petit bout de femme un peu spécial. Âgée d'environ 28 ans, elle ne mesurait que

5 pieds 3 pouces et pesait à peine 110 livres. Mais c'était 110 livres de dynamite, toujours prête à exploser. Comme c'est souvent le cas, Monica la Mitraille avait une double personnalité. Elle pouvait être d'agréable compagnie et elle aimait bien s'amuser. Mais elle se transformait presque à volonté en un être dur, sans pitié, qui avait toutes les audaces.

Monica la Mitraille était chef d'un gang particulièrement dangereux qui écumait les banques partout dans la région montréalaise. Elle avait recruté trois gars originaires du Lac Saint-Jean qui lui obéissaient au doigt et à l'oeil. Elle les menait avec une main de fer. Ses acolytes lui vouaient une admiration sans bornes et la suivaient comme des poussins suivent leur mère poule.

Dès sa tendre jeunesse, Monica avait été en révolte contre la société. Et quand elle entreprit de voler de ses propres ailes, elle se livra à la prostitution, mais ce métier n'était pas pour elle. Elle gradua vite comme «boosteuse», se spécialisant dans les vols à l'étalage. Puis elle passa aux vols par effraction. Elle recruta un mini-gang d'adolescents qui écumèrent les maisons privées du nord de Montréal.

Enfin, elle se recycla dans le vol à main armée et se lança, avec son équipe, à l'attaque des grandes banques. Elle avait toutes les audaces et elle minutait ses coups avec la précision de commandos. Il fallut de longues semaines avant que les policiers ne réalisent qu'ils avaient affaire à une femme!

En effet, les enquêteurs croyaient dur comme fer que la bande était dirigée par un petit homme qui se déguisait en femme!

Dans le milieu, sa réputation prit une telle ampleur qu'elle était adulée de tous. Monica était aussi une adepte des arts martiaux et elle était devenue une spécialiste du karaté.

Les policiers avaient eu vent de ses exploits et ils lui accordaient une attention toute spéciale.

Un soir qu'elle était en train de déguster un bon repas dans un restaurant du nord de la ville en compagnie de ses acolytes, un policier entra et vint s'attabler tout près.

Monica détestait absolument la police. Et quand elle avait consommé de l'alcool elle pouvait être très mal engueulée. On en vint vite aux mots. Monica traita le policier de tous les noms. Ce dernier, excédé, voulut l'appréhender pour tapage dans un endroit public.

Il se leva, s'approcha de la table où mangeaient les convives. Monica se leva à son tour, lui fit une passe de karaté et le policier se retrouva knock-out au plancher!

Quand il se releva, Monica était en train de manger tranquillement son spaghetti. Il décida de demander du renfort et, quelques minutes plus tard, trois ou quatre autos-patrouilles arrivèrent en trombe sur les lieux. En moins de temps qu'il ne faut pour le dire, le trio se trouva en cellule et Monica contactait son avocat, Me Frank Shoofey.

Ce dernier assura sa défense avec une habileté consommée. Quand arriva le moment du procès, Monica se présenta devant le tribunal vêtue modestement comme une brave mère de famille.

Heureusement pour elle, le policier n'avait pas vu venir le coup qui l'avait couché pour le compte. Ou peut-être ne voulait-il pas admettre qu'il avait été terrassé par ce petit bout de femme. Quoi qu'il en soit, son témoignage n'était pas très concluant et Me Shoofey n'eut aucune espèce de difficulté à convaincre le tribunal qu'il était impossible que sa petite cliente ait ainsi terrassé un policier qui mesurait 6 pieds 2 pouces et pesait plus de 220 livres!

Quelques semaines plus tard Monica la Mitraille connaissait une fin tragique. Avec ses acolytes, elle avait machiné un coup fumant dans une banque de Montréal-Nord. Cette fois, cependant, les policiers avaient eu vent de l'opération et on avait monté un traquenard.

Monica et sa bande passèrent à l'action comme prévu et n'eurent pas la moindre difficulté à persuader les caissières de la banque de leur remettre quelques dizaines de milliers de dollars. À la sortie, cependant, les choses se gâtèrent. Les malandrins étaient attendus par une mini-escouade de policiers armés jusqu'aux dents.

Monica rallia ses troupes, tira quelques coups de feu en direction des policiers, s'installa au volant de la voiture volée postée en vue de faciliter leur fuite et fila en trombe avec ses complices.

Il s'ensuivit une sensationnelle chasse à l'homme digne du meilleur cinéma. Une bonne dizaine de voitures de police pourchassaient Monica... qui s'engouffra boulevard Pie-IX, en direction sud. À la hauteur de la rue Jean-Talon, on avait établi un barrage policier. Monica, qui filait à plus de 100 milles à l'heure, emboutit une voiture de police et sauta hors de son véhicule, revolver à la main. Elle pointa son arme en direction d'un policier mais n'eut pas le temps de faire feu. Un autre policier l'abattit d'un seul coup au coeur. Son complice, qui avait été un peu sonné lors de l'accident, fut appréhendé immédiatement. Son frère Bob réussit à prendre la fuite, mais il fut mis sous arrêt quelques minutes plus tard alors qu'il se cachait dans un hangar. Le petit Souris, pour sa part, put filer entre les pattes des policiers.

Frank Shoofey se chargea de la défense du complice. Au procès, ce dernier changea d'avocat et il écopa d'une longue peine de pénitencier. Son frère, qui ne pouvait plus faire de temps, se suicida en cellule peu de temps après.

Fait à signaler, le complice de Monica, qui était toujours actif, a connu une fin tragique, il y a quelques mois, alors qu'il «sauta» avec deux copains dans une maison d'appartements du boulevard de Maisonneuve. On vengeait ainsi la mort du caïd Frank Dooney Ryan qui avait été exécuté par les trois compères. Tous étaient des clients de Me Shoofey!

Ironie du sort, c'est Michel Blass, le frère du Chat, qui avait été déposé la bombe fatale.

Me Shoofey avait tellement d'entregent, il maniait les relations publiques avec tellement d'habileté qu'en moins de trois ans il avait recueilli un noyau de clients si important qu'il devait céder plusieurs causes à des collègues moins bien nantis!

Il était pleinement lancé. Cependant, la zizanie s'était installée dans l'étude de Me Maurice S. Hébert et ce dernier, excédé, décida de mettre la clé dans la porte et de rompre l'association qui l'unissait à une bonne dizaine d'avocats.

Frank Shoofey était si confiant qu'il accepta de prendre la succession de son patron! Et il fonda sa propre étude légale, s'associant à un brillant jeune avocat avec qui il s'était lié d'amitié, Me Pierre Morneau, et deux ou trois autres disciples de Thémis de la génération montante.

Frank Shoofey au début de sa carrière.

Frank Shoofey, à la Barbade, en compagnie de la belle Yvonne, une danseuse de limbo.

Dans la cour de la prison avec Claude Dubois.

À l'ouverture des Assises de la Barbade avec Me John Turner, ministre canadien de la Justice et le gouverneur général de l'île.

Claude Dubois et Frank Shoofey avec les gardiens en uniforme.

Une petite fête à l'hôtel.
Claude Dubois, sa
femme Madeleine, sa
fille Diane et des amis.

L'Honorable John Turner porte la perruque. Il est accompagné du
gouverneur de la prison de la Barbade et de sa femme.

Frank avec le groupe des Lutins lors d'une fête du comté de Saint-Jacques.

Frank et Dédé Desjardins, les deux gérants de Gérald, Ti-Cul, Ratté.

Frank donne la bise à sa grand-tante.

Puis c'est au tour du bisaïeul, le vieux Salim.

Me Shoofey et Robert Bourassa.

Lors d'une fête en l'honneur de Léo Rivet, on reconnaît Roméo Pérusse, M. Beaudry, Léo Rivet et Frank.

Frank Shoofey autographiant son livre sur Richard Blass à André «Toto» Gingras et Mike Blass.

Me Shoofey avec quelques membres du clan Hilton.

60

Frank et le célèbre criminaliste Raymond Daoust.

Frank et son épouse Linda.

61

Un grand communicateur.

Adieu , mon ami.

Chapitre 4

SOUS LE SOLEIL DES ÎLES

Fin 1969, voulant fuir la grande froidure de la métropole, nous décidons, Frank Shoofey et moi, de nous offrir une quinzaine au soleil et d'aller célébrer le Nouvel An sous les tropiques. Cette décision fut presque le fruit d'une décision spontanée. Nous en avions discuté quelque peu durant l'avant-midi au Palais de Justice, et, à l'heure du déjeuner, nous partions en chasse pour trouver une destination où il y avait encore des places vacantes.

Avant la fin de la journée nous avions frappé le gros lot: une agence de voyages nous offrait une quinzaine, à la Barbade, à un prix très abordable. Dix jours plus tard, je me retrouvais en fin d'avant-midi au bureau de Frank, prêt pour le grand départ. Nous avons presque raté l'avion parce que, comme c'était son habitude, Me Shoofey ne pouvait se résoudre à laisser en panne un client.

Finalement, nous voici à Dorval, anticipant le départ vers des cieux plus cléments. Le voyage allait cependant débuter sous de très mauvais augures.

Une fois les formalités de l'enregistrement terminées, nous nous acheminons vers la salle des départs.

Soudain, une voix se fait entendre dans les haut-parleurs.

«Me Frank Shoofey, Me Frank Shoofey, veuillez communiquer avec un agent d'Air Canada.»

— Qu'est-ce qui se passe? de clamer Frank. Les clients vont-ils me hanter même quand je pars en voyage?

Il se rend aussitôt au comptoir où on lui dit qu'il avait une communication téléphonique urgente.

Frank s'empara de l'appareil et discuta une bonne dizaine de minutes. De mon siège, je l'observais. Il discutait âprement. Il semblait en colère. Je me demandais ce qui se passait, craignant comme la peste un contretemps de dernière minute.

Quand il revint vers moi, il me parut fort en colère.

— Qu'est-ce qui se passe? lui demandé-je.

— C'est Pauline qui me fait une crise. Elle est en colère parce que je ne l'emmène pas à la Barbade avec moi. Elle est tellement bleue, qu'elle m'a dit qu'elle va tout faire pour m'empêcher de partir.

À l'époque, Frank Shoofey fréquentait assidûment une mercuriale jeune fille, prénommée Pauline, l'assistante d'un grand impresario montréalais.

La belle Pauline avait un caractère bouillant en plus d'être jalouse comme une colombe. Aussi leurs relations étaient très tendues… d'autant plus que Pauline ne comprenait pas que Frank n'avait qu'une seule maîtresse, la Justice, et que ses clients passaient avant tout.

Elle ne pouvait admettre que Frank occupe toutes ses soirées au bureau... et dans les clubs de nuit pour causer avec ses clients plutôt que de passer ces heures excitantes en sa compagnie. Et comme elle avait pris la mauvaise habitude d'aller lui faire des crises de jalousie à son cabinet, Frank avait décidé de rompre avec elle depuis quelques semaines. Mais il remettait toujours cette décision à plus tard.

— Je n'ai pas voulu l'emmener en voyage avec moi, commenta-t-il, je veux me reposer en paix.

Finalement, après une attente de plus d'une demi-heure, nous sommes montés à bord de l'appareil, un DC8 allongé d'Air Canada, à peine arrivé de Toronto. Les passagers s'installèrent et, quelques minutes plus tard, les moteurs vrombissaient. Enfin, c'était le départ vers le soleil. L'appareil ondula lentement vers la piste d'où allait s'effectuer le décollage. Le pilote plaça le mastodonte en bout de piste, poussa à fond les moteurs. Tout était au point. Le lourd appareil prenait lentement de la vitesse. Soudain, le pilote appliqua brutalement les freins. L'appareil s'immobilisa dans un soubresaut, reprit lentement de la vitesse et tourna brusquement sur l'aire de roulement situé en milieu de piste où il s'immobilisa définitivement.

Les passagers avaient été rudement secoués et un début de panique commençait à poindre. Un agent de bord s'empara du micro.

— Nous éprouvons certaines difficultés et il faut évacuer d'urgence l'appareil. Les passagers de la section rouge sortiront par l'arrière. Les autres, par l'avant.

Pendant que les hôtesses s'affairaient à ouvrir les portes, les passagers récupéraient leurs bagages à main et se précipitaient vers les sorties.

Deux camions, portant des escaliers mobiles sur leur toit, arrivaient à toute vitesse suivis d'une bonne dizaines d'autos de police et de camions de pompiers. En moins d'une minute l'avion avait été évacué et près de 300 passagers faisaient le pied de grue en bordure de piste, exposés aux rafales.

— Le sort joue contre nous, dis-je à Frank. Nous risquons de passer le Nouvel An dans la neige.

Une dizaine de policiers de la GRC s'étaient engouffrés à toute vitesse dans l'appareil. Nous ignorions toujours ce qui se passait.

Tout à coup j'aperçus le capitaine-détective Philippe Portelance, de la police de Dorval, qui descendait d'une auto.

Je le connaissais très bien. Je le rencontrais souvent au Palais de Justice. Frank le connaissait aussi.

— Qu'est-ce qui se passe, Philippe? lui demandé-je.

— C'est un appel à la bombe. Il faut évacuer l'appareil, le fouiller de fond en comble et fouiller tous les bagages.

— Ça c'est notre chance, dit Frank. On va poireauter ici durant de longues heures.

Trois autobus arrivèrent sur les lieux pour commencer la navette. On transporta les passagers vers un immense hangar. Un représentant d'Air Canada nous y attendait pour nous expliquer la situation.

— Nous avons reçu un appel à la bombe précis concernant votre vol vers la Barbade, dit-il. Il faut absolument fouiller l'avion et tous les bagages. Nos équipes vont transporter ceux-ci dans un hangar avoisinant. Aussitôt qu'ils auront été fouillés vous pourrez les récupérer et on vous ramènera à l'aéroport.

Il fallut plus de deux heures avant que l'on puisse quitter le hangar pour revenir vers l'aérogare où Air Canada nous offrit un bon repas chaud. Il était presque huit heures du soir quand on nous annonça qu'il s'agissait d'une fausse alerte et que l'on partirait, enfin, vers 9 h 30.

Encore une fois, une voix se fit entendre au micro.

— Me Frank Shoofey, Me Frank Shoofey, communiquez avec le comptoir d'Air Canada.

— Qui donc peut m'appeler ici à cette heure? Nous devions être à la Barbade présentement.

Quand il revint, il était rouge de colère.

— C'était la folle de Pauline. Et elle m'a presque dit que c'était elle qui avait placé l'appel à la bombe.

— Tu n'es pas sérieux. Qu'est-ce qu'elle t'a dit exactement?

— Elle m'a dit: «Je t'avais averti que tu ne partirais pas sans moi et tu es encore ici. Il y a bien des moyens de bloquer un départ et je les connais tous.» Puis, elle a raccroché.

Nous étions tous les deux en furie. À notre retour nous eûmes une conversation entre quatre-z-yeux avec l'explosive Pauline qui avoua à Frank qu'elle s'était

71

permis cette farce plate et coûteuse. Cependant, d'un commun accord, nous avons décidé de ne pas faire part de ces aveux aux policiers.

Finalement, avec plus de six heures de retard, le départ vers des cieux plus cléments s'effectua enfin. L'avion atterrit à la Barbade vers une heure du matin. Il nous fallut attendre près d'une heure avant de franchir la douane parce qu'à cette heure indue il n'y avait que deux officiers de service.

À la sortie de l'aérogare, même problème. Pas un seul taxi en vue. Finalement nous arrivons au Royal Carribean, où nos chambres étaient réservées. Il était environ quatre heures du matin et les portes étaient fermées à clé! Il dut s'écouler de longs moments avant que l'homme de service nous ouvre enfin la porte.

Presque à la levée du jour, on nous installa enfin dans une suite située sur le toit de l'hôtel. Nous étions tous deux exténués.

Notre premier geste fut de nous étendre et de sombrer, sans plus, dans un sommeil réparateur.

Le lendemain, nous nous sommes réveillés vers onze heures. Je me rendis compte que nos chambres donnaient sur une magnifique terrasse avec vue sur la mer.

Je sortis à l'extérieur prendre une bouffée d'air chaud. Le ciel était bleu... pas un nuage à l'horizon... une douce chaleur m'imprégnait.

Soudain, une voix de stentor se fit entendre.

— Jodoin... qu'est-ce que tu fais à la Barbade?

Je me retournai brusquement.

C'était Claude Dubois.

Il était confortablement installé sur la terrasse voisine en train de prendre du soleil.

— Tu viens en vacances? me demanda-t-il.

— Oui, et je ne suis pas seul. Tu vas avoir une double surprise. Frank Shoofey est avec moi.

Quelques minutes plus tard Frank vint me rejoindre sur la terrasse et nous avons décidé d'aller tous les trois prendre le déjeuner au jardin.

À cette époque je ne connaissais Claude Dubois que de réputation. Je l'avais rencontré à plusieurs reprises, au Jazz Hot, une boîte à la mode où il était maître d'hôtel. J'allais chaque semaine y applaudir les grandes vedettes du jazz et Claude m'avait toujours accueilli chaleureusement, rejetant d'un revers de la main le pourboire coutumier.

Frank le connaissait vaguement aussi. Autour de la table Claude nous apprit qu'il était arrivé l'avant-veille et qu'il était accompagné de sa petite famille: sa femme Madeleine, son fils Pierre et sa fille Diane.

— Je suis ici pour quinze jours, nous dit-il, et vous?
— Nous aussi.
— Ça va... J'avais songé à louer une auto. Si vous le voulez, nous pourrions la louer ensemble et visiter cette belle petite île.

— D'accord.

Dans le temps, Claude Dubois commençait à effectuer la percée qui allait faire de lui le caïd le plus

73

craint de la région métropolitaine. Et il avait la réputation d'être un «ours» extrêmement dangereux. Avec ses neuf frères, il avait tenu la vedette dans la fameuse affaire Miron où un innocent avait perdu tragiquement la vie alors qu'il avait été atteint d'une balle au cours d'une querelle entre Miron et quelques frères Dubois.

L'affaire avait fait la manchette de tous les journaux et, finalement, Claude et trois de ses frères avaient été acquittés de l'accusation de meurtre qui avait été portée contre eux.

Les Dubois étaient les rois du quartier Saint-Henri, un quartier qu'ils terrorisaient littéralement.

Frank avait déjà défendu un des soldats de Claude et il l'avait rencontré à cette occasion.

Au cours des jours qui suivirent nous ne nous sommes pas quittés d'une semelle et avons entrepris de visiter de fond en comble la petite île, qui n'a qu'une superficie de 166 milles carrés.

Au cours de ces périples et lors de nos séances prolongées sur les plages où nous savourions pleinement le soleil des Antilles, Frank et moi pûmes nous rendre compte que Claude Dubois était loin d'être l'ogre que décrivaient les journaux.

C'était un père de famille modèle qui apportait une attention de tous les instants à sa femme et à ses enfants. Le couple Dubois était encore en amour pardessus la tête et son comportement rappelait celui de deux tourtereaux en voyage de noces.

Nous avons formé équipe durant tout le séjour. Le matin, nous visitions l'île. L'après-midi, nous prenions du soleil et, une fois la nuit tombée, nous nous offrions un bon gueuleton dans l'un des hôtels de l'île ou encore chez Luigi, un restaurant italien tenu par un ex-Montréalais. Nous finissions la soirée au Pepper Pot ou dans un autre club de nuit où nous savourions pleinement les spectacles de calypso et admirions les danseurs de limbo.

Nous nous sommes vite rendu compte que Claude Dubois était doué d'une très forte personnalité et d'une intelligence remarquable. Nous discutions de tout, de politique, de justice, d'économie, etc. Claude Dubois avait des opinions bien définies et il les défendait avec une verve remarquable.

Il avait une personnalité très attachante si bien que Frank et moi nous nous sommes liés d'amitié avec lui... Ces liens durèrent jusqu'en 1981.

Inutile de dire que nous nous amusions ferme. Nous visitions tantôt une plantation de canne à sucre, tantôt une distillerie où on fabriquait un rhum délicieux. Nous avons loué un bateau et nous nous sommes payé une excursion de pêche en mer.

Un jour, alors que nous circulions en banlieue de Bridgetown, nous nous sommes arrêtés par hasard devant la prison de l'île. C'était un bâtiment magnifique, entouré d'un mur haut de dix pieds serti de tessons de bouteilles pour contrer les évasions. Le soleil et les ombres jouaient à cache-cache parmi les tessons multicolores, créant un jeu de couleurs presque hallucinant.

— Tu sais quelque chose? me dit Claude Dubois. Je donnerais cher pour visiter cette prison. Quand je vais en voyage, c'est ce que j'aime voir. Des choses inusitées.

— Qu'est-ce que tu en penses? On peut toujours essayer.

Je me dirigeai vers le garde en uniforme qui surveillait l'entrée… et je m'identifiai comme journaliste, demandant à parler au gouverneur.

À ma grande surprise, je me retrouvai quelques minutes plus tard dans le bureau de l'officier-commandant à qui je fis part de notre requête.

Je ne savais pas trop comment l'attaquer. En fait, j'étais très embêté par la présence de Claude Dubois.

Je décidai alors de jouer le tout pour le tout.

— Monsieur le gouverneur, lui dis-je, je suis journaliste au *Journal de Montréal* et je suis en visite à la Barbade avec quelques amis. Nous avons aperçu votre magnifique prison et nous aimerions bien la visiter. Je suis accompagné de Me Frank Shoofey, un avocat de Montréal, et de M. Albert Tanguay, le directeur de la prison de Montréal. Inutile de vous dire que ce dernier est particulièrement intéressé à vous rencontrer et à visiter vos quartiers de détention.

Le directeur claqua les talons et acquiesça immédiatement à ma requête… lançant une série d'ordres à ses subalternes.

Je retournai vers l'automobile où m'attendaient avec impatience Frank Shoofey, Claude Dubois et sa petite famille.

— Ça y est, leur dis-je fou de joie! On peut visiter la prison.

— Tu n'es pas sérieux, de répliquer Claude Dubois.

— Oui, mais il y a un problème! J'ai dû lui dire que tu étais Albert Tanguay, le directeur de Bordeaux. À toi de lui jouer la comédie.

En pénétrant à l'intérieur de la prison, nous nous sommes vite rendu compte que l'on avait déroulé le tapis rouge. Le gouverneur nous attendait avec deux gardes en uniforme. Je fis les présentations d'usage et le gouverneur nous invita à passer dans une petite salle de conférence où il nous offrit des rafraîchissements.

Immédiatement, le gouverneur se mit à questionner Claude Dubois sur les problèmes de détention qu'il rencontrait à Bordeaux.

Claude Dubois, qui y avait séjourné près d'un an, put se tirer habilement d'affaires. Le gouverneur ne se doutait pas cependant qu'il obtenait le témoignage candide d'un ex-détenu.

Puis, ce fut la visite des lieux. La prison de la Barbade est tout simplement magnifique. Les quartiers de détention forment un grand hémicycle donnant sur d'immenses jardins fleuris et ceinturés d'un mur de maçonnerie haut de dix pieds.

Nous étions accompagnés du gouverneur, de son assistante et de deux gardes en uniforme.

Partout on nous attendait. Quand nous arrivions à un quartier de détention, on donnait un commandement:

— Atten...tion

Nous paradions alors devant une vingtaine de prisonniers au garde-à-vous, tandis que les gardiens nous faisaient le salut militaire.

Comme, à la Barbade, le thermomètre ne descend jamais en bas de 75 degrés Fahrenheit (24°C), les portes et fenêtres des cellules ne comportent que de longs barreaux. Devant chaque cellule, chaque prisonnier a son jardin particulier où il cultive des légumes et des fleurs.

Au bout de la rangée, sous un abri de toile, c'est la cuisine commune où le Pepper Pot mijote 24 heures sur 24 et où les prisonniers s'amusent à jouer aux cartes ou aux dominos.

Un groupe de prisonniers fort sympathiques nous offrirent de goûter à leur Pepper Pot et on nous servit un léger repas sur le pouce.

Frank et moi faisions une cour éhontée à la charmante assistante du gouverneur. Délibérément, nous avions décidé de laisser Claude Dubois seul avec le gouverneur.

À plusieurs reprises, au cours de la visite, Claude Dubois nous appela à son secours. Il nous disait en français, secoué d'un fou rire:

— Venez me dépanner. Je ne sais plus quoi lui répondre. Mes deux comiques, vous allez me payer cela.

La visite se termina comme elle avait commencé, dans le bureau du gouverneur. Ce dernier nous invita à assister à l'ouverture de la Cour d'assises de la Barbade qui avait lieu le mardi suivant. Inutile de dire que nous avons sauté sur l'occasion et accepté avec gratitude. Avant de quitter les lieux, pour ne pas être en reste, Claude Dubois, le plus sérieusement du monde, invita l'aimable gouverneur à venir visiter la prison de Bordeaux, si d'aventure, il venait à Montréal.

Claude Dubois avait été très impressionné.

En quittant les lieux, il me dit:

— Si jamais je dois faire du temps, c'est ici que je veux le faire. Ce n'est pas le paradis mais presque!

Quelques jours plus tard, alors que nous revenions de la plage, nous sommes tombés, à notre grande surprise, sur l'honorable John Turner, qui sirotait un verre de scotch au bar de l'hôtel.

Frank, qui le connaissait quelque peu, alla le saluer et M. Turner nous invita à nous joindre à lui. La discussion s'engagea, on parla politique, et Claude Dubois en profita pour lui donner son opinion sur la peine de mort! Inutile de dire qu'il était contre.

M. Turner nous expliqua qu'il était l'invité du gouvernement de l'île et qu'il venait prononcer un discours lors de l'ouverture des Assises de la Barbade. L'ayant informé que nous aussi nous devions y assister, rendez-vous fut fixé au Palais de Justice.

Le lundi suivant, nous étions au Palais de Justice une demi-heure à l'avance. Le gouverneur de la prison avait fait les choses en grand. Il nous avait réservé des places aux premiers rangs, parmi les invités d'honneur, juste à côté de l'Honorable John Turner. Avant la cérémonie il nous présenta aux juges de la Haute Cour et il apprit à Me Frank Shoofey qu'il serait invité à prononcer une brève allocution au nom du Barreau québécois.

Il y avait un hic, cependant. Devant la Cour d'assises à la Barbade il faut absolument porter la toge et la perruque pour pouvoir prendre la parole.

Qu'à cela ne tienne! Le gouverneur usa de son influence et un des avocats accepta aimablement de céder à Frank et sa toge et sa perruque empoussiérée.

La cérémonie débuta par une longue parade dans les rues de Bridgetown. Les juges de la Haute Cour accueillirent les militaires et le gouverneur général de l'île à la porte du Palais et on se retrouva tous à l'intérieur de la grande cour d'honneur pour la cérémonie.

Quand arriva son tour de prendre la parole, Me Frank Shoofey y alla d'un petit laïus bien senti.

L'Honorable John Turner prononça un magistral discours sur le sens de la justice que l'on retrouve dans le droit anglais.

À l'issue de la cérémonie, à l'extérieur, je croquai le tout avec ma caméra, pour la postérité.

Auparavant nous avions célébré le Nouvel An d'une façon retentissante. Au cours de nos pérégrinations nocturnes, nous avions, Frank et moi, fait la connaissance de deux jeunes danseuses de Limbo au corps sculptural, Yvonne et Carla, et nous nous étions liés d'amitié avec elles.

Ayant décidé de célébrer le Nouvel An en leur compagnie, nous les avons invitées à partager avec nous un souper fin. Elles acceptèrent, mais nous prévinrent qu'elles nous quitteraient vers 11 heures: elles devaient donner un spectacle dans un hôtel sur le coup de minuit. Nous étions un peu déçus, mais il nous fallait faire contre mauvaise fortune, bon coeur.

Elles vinrent nous rejoindre à l'hôtel et nous sommes allés dîner au restaurant en leur compagnie.

Quelques minutes avant leur départ, Yvonne eut une idée géniale.

— Pourquoi ne viendriez-vous pas avec nous, pour assister au spectacle? Je connais le maître d'hôtel et il vous permettra de nous attendre en coulisse.

L'occasion était bonne... et nous sommes partis en voiture avec nos deux déesses.

Le spectacle fut tout simplement éblouissant. Yvonne, qui faisait un numéro de danse du feu vraiment spectaculaire, s'attira un tonnerre d'applaudissements.

Leur numéro à peine terminé, nos deux amies se précipitaient en coulisse, nous attrapaient au passage en nous demandant d'accélérer le pas.

— Qu'est-ce qui arrive? demanda Frank.

— Vite, vite nous sommes en retard.

— Comment!

— Oui, nous devons donner un autre spectacle dans un autre hôtel.

Le départ s'effectua à toute vitesse et Yvonne nous donna un numéro de conduite digne du regretté Gilles Villeneuve sur les routes tortueuses de l'île. Elles avaient gardé leur costume de théâtre. De petits bikinis qui ne manquèrent pas de nous exciter.

Une fois sur les lieux, elles se précipitèrent sur scène pour donner leur spectacle. À la fin, même scénario et même course à toute vitesse vers un nouvel hôtel.

La chasse aux hôtels se poursuivit jusqu'à 4 heures du matin et nos jeunes vedettes donnèrent en tout cinq spectacles.

Nous revînmes à l'hôtel vers 6 heures du matin. Nous étions tout simplement exténués. Aussi avons-nous laissé filer les filles après leur avoir donné un chaste baiser.

C'est au cours de ce voyage que Frank Shoofey, tout comme moi, se lia d'une forte amitié avec Claude Dubois.

Au cours des années qui suivirent, le gros Claude lui refila de nombreux clients, et quand arriva le CECO le bureau de Frank Shoofey s'occupa de représenter tous les membres du groupe, sauf Claude qui avait retenu les services de Me Léo-René Maranda.

Les choses se gâtèrent définitivement entre eux lorsque Donald Lavoie franchit la barricade aux alentours de Noël 1980.

Lorsque Donald Lavoie fut appréhendé pour sa participation à l'enlèvement et à la séquestration d'un directeur de banque et de sa famille, et pour une importante extorsion, il retint, comme c'était son habitude, les services de Frank Shoofey.

Frank lui rendit immédiatement visite aux quartiers cellulaires de la police de la CUM en compagnie de Me Gary Martin.

C'est à ce moment que Lavoie lui annonça qu'il n'avait plus besoin de ses services puisqu'il avait décidé de collaborer pleinement avec la police et les autorités judiciaires.

À l'époque, Frank signait toujours une chronique dans *Photo-Police* et il visitait les bureaux de l'hebdomadaire chaque semaine. Sachant bien qu'il s'agissait là d'une nouvelle sensationnelle, il la refila tout simplement au rédacteur en chef. De toute façon, l'affaire allait être rendue publique d'une minute à l'autre.

Dans son édition de fin de semaine, l'hebdomadaire annonça en page frontispice la défection de Donald. Par un heureux hasard, c'était une primeur.

À ce moment-là Claude était en voyage dans le Sud. Quand il revint au pays, il se rendit au bureau de Frank où il fit une terrible colère. Il tenait Frank responsable de la délation de Donald Lavoie.

— Tu aurais pu le convaincre de ne pas faire ce geste, lui dit-il.

Bien plus, il lui reprochait amèrement la nouvelle qui avait paru dans *Photo-Police*.

— Une fois cette nouvelle publiée, Lavoie n'avait plus le choix. Tout le milieu savait que c'était un *stool*. Il ne pouvait plus faire marche arrière.

L'affaire prit une telle ampleur que le directeur de *Photo-Police* laissa entendre qu'il avait capté la nouvelle en espionnant la conversation de deux policiers dans une taverne!

Quelques semaines plus tard, quand Claude apprit que Donald Lavoie allait témoigner pour la Couronne au procès de François Leannens, accusé du meurtre de Ronald Lavergne, un agent double au service de la SQ, il exerça de fortes pressions sur Frank Shoofey pour qu'il vienne détruire le témoignage de Lavoie en défense.

Il refusa net.

Plus tard, alors que Claude Dubois subissait lui-même son procès pour le meurtre de Richard Désormiers, et qu'on découvrit qu'à mon tour je m'étais rangé du côté des forces de l'ordre, certains personnages effectuèrent de nouvelles pressions sur Frank Shoofey pour qu'il vienne témoigner en défense.

Encore une fois Frank refusa. Ces pressions l'inquiétaient si fortement qu'il en fit part à plusieurs personnes dans le but de se protéger.

Chapitre 5

FRANK SHOOFEY VOLE
DE SES PROPRES AILES

Pour l'étude Shoofey, Morneau et associés, ce fut le succès instantané. Frank avait mis en place de solides assises qui se sont maintenues jusqu'à son assassinat.

En moins d'un an, cette étude devint la plus importante en matière criminelle dans la métropole et elle ne céda jamais le premier rang. Ce succès est dû, sans aucun doute, au génie de Frank Shoofey, un as des relations publiques, qui a toujours su occuper une place de choix au sein de l'actualité.

Il faut dire que, au départ, Me Shoofey sut profiter d'une certaine chance. En effet, alors qu'il était encore clerc à l'étude de Me Maurice Hébert, Frank avait eu le talent de se faire respecter par un certain juge.

Ce même juge était un personnage haut en couleur, un joyeux vivant à l'esprit pétillant. À l'époque, la Justice était beaucoup moins formelle qu'aujourd'hui. Ledit juge avait pour règle de siéger fréquemment à son bureau. Les avocats, les accusés, les procureurs de la Couronne faisaient la queue dans le corridor et on les admettait dans l'*inner sanctum* quand venait le moment de procéder. Là on y allait un peu à la bonne franquette et l'affaire se réglait en quelques minutes.

À titre de clerc, Me Shoofey fréquentait régulièrement le bureau de ce juge pour fixer la date des
procès. Rapidement, il s'établit une certaine affinité
entre le magistrat au bord de la retraite et le jeune
avocat qui débutait.

Quand Me Shoofey fut admis au Barreau, il se
rendit vite compte que ledit juge l'écoutait toujours
d'une oreille attentive et savait se montrer souvent très
compréhensif avec ses clients.

En fait, avant de prononcer sentence, il exigeait
l'accord du procureur de la Couronne.

Un jour, Frank Shoofey représentait devant lui un
jeune homme qui venait de se reconnaître coupable de
deux vols à main armée. Comme il n'en était pas à ses
premiers forfaits, la Couronne demanda une peine de
trois ans de pénitencier. Me Shoofey, pour sa part,
exagéra un peu en suggérant au tribunal de lui imposer
une peine d'un an de prison.

Cela ne plut pas au juge qui, réfléchissant à voix
haute, dit:

— La Couronne veut trois ans; la défense recom-
mande un an. Je ne veux déplaire à personne! Vous
purgerez quatre ans de pénitencier.

Dans sa sagesse, le juge avait trouvé la suggestion
de la couronne inadéquate.

Il ne fallut que quelques semaines pour que le mot
se passe aux quartiers de détention de Bordeaux.

«Si tu veux un bon *deal*... retiens les services de
Frank Shoofey», chuchotait-on dans les corridors.

Et à une certaine époque, Shoofey et le juge vidaient régulièrement les quartiers de détention! Et la plupart du temps, les prisonniers partaient, heureux, purger leur peine!

Me Shoofey avait eu une chance unique. Bien plus, il y avait une bonne centaine de prisonniers qui chantaient ses louanges derrière les barreaux, alors que la plupart des condamnés maudissent leur avocat!

Ce faisant, cependant, Me Shoofey avait imprimé une nette direction à sa carrière. Il a toujours cru qu'un arrangement raisonnable était meilleur qu'un procès et il a toujours réussi à négocier très habilement pour ses clients en matière de sentence.

Me Shoofey a également plaidé plusieurs affaires de meurtre aux assises criminelles où il a remporté de retentissants succès. C'était un avocat extrêmement compétent qui préparait ses causes avec minutie.

Ainsi, en 1970, il défendit avec brio le «Chou» et la «Louise», deux piliers de pénitencier qui avaient tué un collègue derrière les murs.

Le «Chou» et la «Louise» pensaient, bien sûr, s'en être tirés avec les honneurs de la guerre puisque le dossier s'empoussiéra sur les tablettes de la Sûreté du Québec durant près de neuf ans avant qu'un délateur ne se manifeste.

Les deux personnages se virent amenés aux Assises pour répondre de leurs actes. Entre-temps, la SQ avait réussi à dénicher deux autres prisonniers qui venaient corroborer les dires du principal délateur.

Il s'agissait d'un meurtre sordide. La victime avait été tuée à coups de pelle, à la porte d'un atelier du pénitencier de Saint-Vincent-de-Paul à la suite d'une vulgaire querelle entre homosexuels.

Toute la preuve tenait dans le témoignage des délateurs et Me Shoofey les contre-interrogea avec habileté, réussissant à les secouer drôlement.

Malgré tout, au terme d'un procès qui dura près d'un mois, les deux accusés furent déclarés coupables et condamnés à la prison à vie.

Frank ne se découragea pas. Il étudia scrupuleusement le dossier et dénicha quelques erreurs en droit commises par le juge lors de ses directives au jury, et porta le tout en appel.

Devant le plus haut tribunal de la province, il remporta le morceau et obtint un nouveau procès. Cette fois, les accusés furent plus chanceux: ils furent acquittés.

Plus tard, Frank Shoofey défendit avec succès Richard D., lui aussi accusé de meurtre.

Ce procès fut pour lui d'une extrême importance puisque Richard était le beau-frère du leader de la Mafia locale.

Richard D. avait froidement abattu un jeune homme qui lui cherchait noise dans une taverne du nord de Montréal. Quelques années auparavant, Frank avait réussi à le faire libérer dès l'enquête du Coroner, alors qu'il était soupçonné d'avoir assassiné un pauvre type qui refusait de tirer sa voiture qui était embourbée.

Encore une fois, Frank remporta la victoire grâce à ses techniques d'interrogatoire. Comme c'est souvent le cas, l'affaire se jouait sur une question d'identification et Frank réussit à ébranler si fortement les témoins que les jurés revinrent avec un verdict d'acquittement.

Fait à signaler, ces trois personnages ont connu une fin tragique. Ils ont été assassinés par la suite.

Une cause lui tint particulièrement à coeur. Il ne s'agissait pas d'une affaire à sensation. En fait, on l'a à peine mentionnée dans les médias à l'époque. C'était une affaire extrêmement triste qui l'avait profondément marqué.

Le tout débuta vers la fin de 1965. En proie à une terrible crise de découragement, un jeune père de famille, Michel B., décide d'en finir avec la vie. Sa femme l'a quitté, il est en chômage et a de la difficulté à survivre. Dans sa folie, il décide d'emmener son fils de huit ans avec lui. Il ne voulait pas que l'enfant, qu'il aimait profondément, ait à souffrir du fait que son père ait été un raté.

Prenant une carabine, il tira une balle à la tête de l'enfant et le tua sur le coup. Pointant l'arme vers sa propre poitrine, il pressa la gâchette. La balle lui rata le coeur par quelques millimètres. Affaibli par la perte de sang, il décida d'en finir en mettant le feu à son logis.

Malheureusement, des voisins prévinrent les pompiers qui réussirent à le secourir avant qu'il ne rende l'âme. On le transporta inconscient à l'hôpital où les médecins réussirent à lui sauver la vie.

Quand il reprit conscience, il était au bord de la démence. Frank fut alors appelé à le représenter et on se rendit compte qu'il n'était pas apte à subir son procès. Il fut confiné dans un hôpital psychiatrique où on lui prodigua des soins constants.

Il récupéra lentement. Mais il était amnésique. Il ignorait absolument qu'il avait tué son fils et qu'il avait voulu mettre fin à ses propres jours.

Finalement, en 1971, on le jugea suffisamment guéri pour qu'il puisse subir son procès. Même s'il était sans le sou, Frank accepta d'assurer sa défense.

Frank ne contesta pas les faits. Il ne voulait pas retourner encore une fois le fer dans la plaie.

Il décida plutôt de présenter une défense d'aliénation mentale et il fit entendre les psychiatres qui avaient traité le prévenu durant de longues années. Ils furent tous unanimes à déclarer qu'au moment du terrible drame le jeune père de famille ne savait absolument pas ce qu'il faisait. Sa femme vint déclarer qu'au moment du meurtre il était tellement nerveux qu'il fumait plus de 200 cigarettes par jour, que quelques jours avant le drame il s'était complètement rasé la tête et qu'il avait consommé une bonne trentaine de pilules.

Frank plaida avec éloquence l'aliénation mentale et les jurés revinrent avec un verdict d'acquittement. Le tribunal ordonna l'incarcération de l'accusé dans un hôpital psychiatrique jusqu'à ce qu'il soit complètement guéri.

Cette affaire avait profondément marqué Frank Shoofey. Il m'en parla à plusieurs reprises.

— Claude, me dit-il, je m'étais toujours juré que jamais je ne défendrais quelqu'un qui était accusé du meurtre d'un enfant. Mais ce cas est vraiment exceptionnel. C'est le pire étalement de la misère humaine.

S'il l'avait désiré, Frank Shoofey aurait pu facilement devenir un des grands ténors du Barreau montréalais. Comme il était très humain, il savait trouver facilement les mots pour convaincre les jurés... car il parlait leur langage, le plus simplement du monde. Il a cependant choisi une autre voie, celle qui lui permettait d'être toujours disponible.

Il n'aimait pas les procès devant jury, car il risquait d'être bloqué durant de longs mois devant les assises criminelles, ce qui l'empêchait d'être au service des petits, des sans grades qui se pressaient tous les soirs à son bureau. Aussi, tout le long de sa carrière, il cédait soit à Me Pierre Morneau, soit à un autre associé, les causes les plus importantes qui aboutissaient à son cabinet.

Mais il continuait toujours de s'intéresser à l'affaire dont il suivait quotidiennement le déroulement.

Il plaidait rarement lorsqu'il s'agissait de longs procès. Il préférait sans conteste les affaires qui se déroulaient en moins d'une journée.

Comme il était un homme très réaliste, il analysait froidement les dossiers. Et si son client était cuit, il lui recommandait fortement de reconnaître immédiatement sa culpabilité. Et dans de tels cas, il était celui qui pouvait lui faire obtenir le meilleur arrangement dans la métropole.

En matière de sentence, Frank Shoofey était un très habile négociateur. Et il s'entendait parfaitement avec tous les procureurs de la Couronne, ce qui arrangeait bien les choses. On l'écoutait avec sympathie de l'autre côté de la barricade! Et on se fiait à son jugement sûr... car Me Shoofey n'avait jamais d'exigences démesurées. C'est ce qui faisait sa force.

Il était aussi très méticuleux. Et au cours de sa carrière il a préparé de nombreux plaidoyers écrits sur sentence qui étaient de vrais petits bijoux.

Il ne croyait pas à l'effet d'exemplarité des peines de prison, et quand il défendait un jeune délinquant qui en était à sa première aventure devant les tribunaux, il faisait des pieds et des mains pour lui obtenir un sursis.

«S'il est condamné à la prison, il sera un criminel endurci quand il en sortira», avait-il l'habitude de dire.

Me Shoofey avait pleine confiance en la Justice. Il avait aussi foi en la police.

Un jour, alors que nous discutions fermement, il m'avoua:

— Tu sais, au cours de ma carrière, je n'ai jamais rencontré une véritable erreur judiciaire. Tous mes clients qui furent trouvés coupables étaient vraiment coupables. Bien plus, la plupart de ceux que j'ai fait acquitter étaient vraiment coupables du crime qu'on leur reprochait. Ils ont eu la chance de bénéficier de la doctrine du doute raisonnable. En fait, les seules erreurs judiciaires que j'ai vécues l'ont été aux dépens de la Couronne!

Frank Shoofey, comme tous les gens en quête de publicité, adorait fréquenter les célébrités. Il était l'ami d'une foule d'artistes, de journalistes de renom, de personnalités du monde du sport, d'athlètes bien connus. Au cours de sa carrière, il en a représenté une bonne dizaine devant les tribunaux.

L'une des causes les plus fameuses auxquelles il a été mêlé est sans contredit le duel Jacques Matti – Réal Giguère qui débuta en novembre 1974 et qui occupa la chronique judiciaire durant de longs mois.

Frank était un ami de longue date de Réal Giguère. Il avait participé à de nombreuses reprises à l'émission *Madame est servie* dont Réal était l'animateur vedette.

Un jour, Réal arrive à son bureau en furie. Il tient à la main un exemplaire du journal *Gala des Artistes* dans lequel on annonce, en première page, qu'il est traité dans un hôpital psychiatrique! Frank tente de le calmer. Il n'y a rien à faire. Giguère veut accuser le directeur du journal et la journaliste de libelle diffamatoire. L'article était vraiment scabreux.

On y affirmait que Giguère était «vraiment hospitalisé pour dépression nerveuse, dans un institut psychiatrique, qu'il était sous l'effet de calmants et de tranquillisants 24 heures sur 24, et qu'il était placé sous surveillance constante».

Gentiment, la journaliste se refusait à «entrer dans les détails morbides, ne voulant pas faire pleurer les lecteurs».

Jacques Matti, pour sa part, n'y allait pas avec le dos de la cuillère! Dans sa colonne, il demandait: Réal

95

Giguère a-t-il séjourné, il y a un peu plus de quinze jours, dans la salle Godefoy, à Saint-Jean de Dieu? A-t-on dû le changer de salle au moins trois fois? Et cela pour avoir tenu des propos que les gens, qui nous les ont rapportés, ne pouvaient inventer?

L'affaire s'engagea très mal pour M. Matti. Me Shoofey, accompagné de Réal Giguère, se rendit à la hâte au Palais de Justice où l'avocat n'eut aucune difficulté à obtenir l'émission de sommations à l'endroit de Matti et de sa journaliste. Ces sommations leur ordonnaient de comparaître, à telle date, devant la Cour des sessions sous des accusations de libelle diffamatoire.

En cette matière, la loi prévoit que l'avocat du plaignant peut jouer le rôle de procureur de la Couronne et plaider lui-même la cause pour le ministère public.

Me Shoofey se retrouvait donc, bien malgré lui, et pour la seule fois de sa carrière, de l'autre côté de la barricade, représentant officiel de la reine Élisabeth II. La comparution eut lieu quelques jours avant Noël. La journaliste était présente, mais Jacques Matti brillait par son absence! Bien qu'un huissier lui ait dûment signifié la sommation, l'ami Matti avait choisi de ne pas retarder ses vacances annuelles et il avait pris la route de la Floride, pour se faire dorer au soleil.

Me Shoofey protesta pour la forme et, comme c'est la coutume dans de tels cas, le tribunal émit un mandat d'arrestation.

Aux alentours du Jour de l'An, Matti, qui ne se doutait de rien, revint en grande pompe de Floride. Me Shoofey avait été prévenu de son arrivée et, à la deman-

de de son client, il avait à son tour prévenu la Sûreté du Québec qui attendait le vacancier à l'aéroport!

Le pauvre Matti se retrouva en cellule sans trop savoir ce qui se passait!

Il comparut le lendemain matin devant le tribunal. C'était un samedi et le greffier n'avait pu retracer le dossier. Me Shoofey s'objecta à son élargissement et le juge remit le tout au lundi. Matti dut passer la fin de semaine derrière les barreaux! Le lundi, il put cependant reprendre sa liberté sous cautionnement en attendant la tenue de l'instruction.

La table était mise. Une sérieuse bataille légale allait s'engager. Matti avait retenu les services du grand criminaliste Raymond Daoust pour le défendre!

Comme il fallait s'y attendre, la cause traîna en longueur. Pour sa part, Me Shoofey avait hâte de croiser le fer avec son éminent adversaire à qui il vouait une admiration sans borne.

À un moment donné, ulcéré par les lenteurs de la Justice, Réal Giguère, qui avait une émission matinale à un poste de radio local, créa une série de personnages, sans oublier M. le Juge, et se moqua humoristiquement de la justice durant de longues semaines.

Un jour, cependant, il dépassa les bornes. Matti sauta sur l'occasion et Giguère se retrouva à son tour au Palais de Justice sous une accusation d'outrage au tribunal.

Frank reprit son rôle d'avocat de la défense et l'accompagna devant le tribunal. Hélas, l'affaire était

claire. Réal Giguère était allé définitivement trop loin et il y avait nettement matière à outrage.

Cette fois, l'affaire se déroula rondement et le pauvre Giguère fut déclaré coupable. Il écopa d'une amende très salée. Il se réfugia par la suite derrière un silence prudent.

Finalement, au terme de procédures tortueuses, le procès débuta.

On plaida l'affaire comme une véritable cause de meurtre! Me Shoofey avait préparé sa cause avec soin. Et il démontra vite, hors de tout doute raisonnable, que son célèbre client n'avait jamais séjourné de sa vie dans un hôpital psychiatrique. Il alla même plus loin, il démontra au président du tribunal, le juge Redmond Roche, que la nouvelle avait été publiée à la suite d'un appel téléphonique et qu'on n''avait pas pris soin d'en vérifier véritablement la véracité.

Me Daoust, lui, mena, en défense, une lutte de titan. Il fit entendre un détective privé qui déclara qu'il croyait que M. Giguère avait déjà été traité à l'Institut Albert-Prévost, mais ne put en apporter de preuve formelle. Il avait recueilli certaines confidences de la part de gardes-malades.

Pour le ministère public, Me Shoofey fit un plaidoyer à l'emporte-pièce. Me Daoust, en défense, fit appel à toutes ses ressources mais il ne put emporter le morceau. Le juge prit le tout en délibéré et quand arriva le moment du verdict, il déclara Matti coupable de l'accusation telle que portée.

Restait à prononcer la sentence! Frank présenta un plaidoyer extrêmement bien structuré. Il démontra

qu'il y avait eu malice et négligence, qu'on avait causé à son client, un homme adulé du public, un tort tout simplement irréparable, qu'on l'avait humilié, ridiculisé. Il réclama une sentence exemplaire, qui ferait réfléchir tous ses amis les journalistes! Il réclama une légère peine de prison.

Me Daoust, à son tour, fit des prodiges d'éloquence pour sauver Matti d'un séjour à Bordeaux.

À la surprise générale, le juge épousa la thèse de Me Shoofey et condamna le coupable à une légère peine de prison! C'était presque une première dans nos annales judiciaires.

Matti prit le car pour Bordeaux où il fut logé aux frais de la princesse durant quelques jours.

Me Shoofey ne savoura pas vraiment cette surprenante victoire. À la sortie de l'audience, il me dit:

— Tu sais, Claude, je me sens vraiment mal à l'aise. C'est la première fois que je fais condamner quelqu'un à la prison. Je me rends compte que le rôle de procureur de la Couronne n'est pas si facile.

Frank Shoofey a toujours été un homme extrêmement religieux, doté d'un haut sens moral.

Il y a quelques années, il se produisit un crime, dans la région métropolitaine, qui le révolta littéralement.

Des bandits sans conscience se rendirent à l'oratoire Saint-Joseph et y dérobèrent le coeur du Frère André, une relique vénérée par des millions de personnes.

Ce crime abject révolta tous les croyants, d'autant plus que les lascars sans conscience avaient la ferme intention de faire chanter les pères de Sainte-Croix, gardiens de l'Oratoire.

Ils voulaient tout simplement rançonner le sanctuaire et exiger une énorme récompense pour remettre la relique aux autorités. Heureusement, les pères de Sainte-Croix refusèrent carrément de jouer le jeu.

Les jours passèrent. La relique était introuvable, tout comme les bandits d'ailleurs.

C'est alors que Frank décida d'intervenir. À l'aide de ses excellents contacts dans le milieu, il transmit un message à l'effet qu'il était prêt à servir d'intermédiaire entre les bandits et les autorités.

Il précisa fermement qu'il n'était pas question de rançon!

Quelques jours plus tard, il reçut un coup de fil anonyme lui disant où il pourrait trouver le coeur du Frère André. Il le récupéra avec l'aide des sergents-détectives Michel Amyot et Gilles Poupart de la police de la CUM, et il le remit en mains propres aux autorités de l'Oratoire.

Il ne se gêna pas cependant pour transformer ce coup d'éclat en coup publicitaire. C'était son côté cabotin, qui refaisait surface.

Sans contredit, le client le plus célèbre de Frank Shoofey fut le tristement fameux Richard Blass... qui occupa la manchette des journaux durant plus de quatre ans.

Frank avait rencontré Richard, dit le «Chat», alors que celui-ci était encore un petit «punk» sans envergure.

Richard pratiquait la boxe amateur dans un gymnase de Montréal. Un jour, un adversaire lui servit une solide dégelée dans le ring. Richard n'était pas homme à accepter une défaite.

Il attendit son adversaire à l'extérieur et lui servit à son tour une raclée, à l'aide d'un deux par quatre.

Il se retrouva devant le tribunal sous une accusation d'assaut et Frank lui conseilla de reconnaître sa culpabilité. Le Chat s'en tira cette fois avec une amende.

Avec Richard Blass, Frank n'a connu que des défaites! C'est que l'ami Richard avait la vilaine habitude de se faire prendre en flagrant délit.

Durant de longs mois, sa lutte à finir avec le clan des Italiens laissa une foule de victimes dans tous les coins de la métropole. Blass était doué d'une audace extraordinaire et il était prêt à s'attaquer à la société tout entière.

À l'occasion, il pouvait être charmant, mais il se transformait en bête sanguinaire à la moindre provocation. On se souvient de ses évasions à répétition, de la terrible tuerie du Gargantua et de ses bravades.

Quand la police l'abattit comme un rat dans un chalet des Laurentides, la ville tout entière poussa un immense soupir de soulagement.

Frank, cependant, représenta une mignonne jeune fille qui avait été appréhendée à cette occasion et obtint pour elle une légère peine de prison.

Frank Shoofey était un avocat on ne peut plus efficace qui avait le respect de tous ses clients, ou presque.

Au cours des dernières années, principalement depuis 1982, Frank tentait de prendre du recul.

Il plaidait souvent en province parce qu'il trouvait la tension, dans la région métropolitaine, presque impossible à supporter.

Il songeait vaguement à abandonner le droit criminel mais il ne pouvait trouver une voie où il pourrait donner pleinement sa mesure.

Il était encore au coeur de l'action quand on l'abattit comme une bête.

Chapitre 6

AU PAYS DE SES ANCÊTRES

Au tout début de 1970, Frank Shoofey eut un vrai coup de chance. À cette époque, il volait de ses propres ailes depuis déjà quelques mois, ayant ouvert sa propre étude légale. Les choses allaient bon train.

Un jour, Frank reçut la visite d'un homme d'affaires libanais résidant à Ottawa. Cet individu était le représentant au Canada d'un réseau de trafiquants de haschisch qui opérait à partir de Beyrouth.

À cette époque, la consommation de haschisch commençait vraiment à s'implanter au Canada, mais les techniques d'importation en étaient encore à leurs premiers balbutiements. Le réseau Makouk procédait encore par courriers qui transportaient dans leurs bagages une vingtaine de kilos de haschisch. S'ils réussissaient à franchir sans encombre les postes douaniers, les transporteurs refilaient la drogue aux représentants locaux du réseau qui voyaient à la mise en marché. Le truc était de trouver des courriers crédibles qui pouvaient déjouer plus ou moins facilement les douaniers.

La route de la drogue était fort simple. À l'époque, la sécurité dans les aéroports internationaux était quasi inexistante. Pas besoin de montrer patte blanche pour monter à bord d'un avion. Et les douaniers européens savaient se montrer compréhensifs.

Les courriers cueillaient donc leur provision à Beyrouth et se dirigeaient vers Amsterdam, Paris ou Rome où, à titre de voyageurs en transit, ils franchissaient facilement les barrières douanières avant de prendre la route vers Montréal.

Et c'est ici, à l'aérogare de Dorval, que la partie se jouait. Montréal était alors considérée comme étant le port d'entrée par excellence. D'abord parce que les douaniers ne fouillaient qu'un seul voyageur sur dix. Ainsi, les chances de se faire attraper étaient minimes. Un jour, en 1971, la GRC intercepta sept ressortissants argentins qui étaient à bord de deux vols subséquents en provenance de Rome. Ils avaient chacun dans leurs bagages deux kilos d'héroïne pure dissimulés dans des valises à double fond exactement semblables. La GRC avait eu un tuyau. Et malgré ce tuyau, deux courriers qui étaient à bord des mêmes vols réussirent à leur filer entre les pattes!

Le réseau Makouk avait su faire preuve d'ingéniosité dans le choix des courriers. Au début, c'étaient de ravissantes jeunes filles qui transportaient la drogue dans leurs bagages. On comptait sur leurs charmes pour «séduire» les douaniers. Puis on se servit de diplomates et de personnages officiels.

Cependant, la GRC veillait au grain et quelques-uns de ces courriers spéciaux avaient été interceptés à leur arrivée à Montréal.

Le chef du réseau, Joseph A., qui avait ses quartiers généraux à Beyrouth, avait mandaté son représentant canadien pour retenir les services d'un excellent criminaliste chargé de défendre ses ouailles qui seraient tombées dans les griffes des policiers. Et comme il était très méfiant, il exigea que cet avocat soit d'origine arabe. Bien qu'il ait été un Québécois pure laine, Frank Shoofey était le candidat idéal. Et on retint ses services.

Les limiers de la GRC et les douaniers avaient, entre-temps, changé leur tactique et quelques courriers tombèrent entre leurs mains. Ainsi Frank fut appelé à défendre deux jolies filles qui avaient commis l'erreur de tenter de franchir les barrières douanières canadiennes, en *hot pants*, avec quelques kilos de haschisch.

Dans de tels cas, la tâche de l'avocat est très simple. Comme les inculpés sont surpris en flagrant délit, pas question de faire le procès. Normalement, l'affaire se termine par un plaidoyer de culpabilité et l'avocat doit s'assurer que l'accusé recevra la sentence minimum prévue au code pour l'importation de narcotiques: 7 ans de pénitencier!

Devant ces coups durs, les dirigeants du réseau Makouk décidèrent de changer eux aussi leurs tactiques et ils retinrent les services de personnages moins voyants!

Fin 1970, un vénérable abbé débarque à Dorval en provenance de Rome. Il est âgé de 75 ans et porte barbe et soutane. Perclus d'arthrite, il se déplace difficilement avec des béquilles. Le père Abou N. est originaire du Liban. Et il est, de plus, avocat. En fait, il est le représentant spécial de l'archimandrite de Beyrouth auprès du tribunal apostolique où il s'occupe,

107

entre autres choses, d'annulations de mariages. Il vient à Montréal rencontrer l'archevêque maronite pour régler certains problèmes.

Normalement, on aurait déroulé le tapis rouge pour le vénérable abbé. Au contraire, les tuniques rouges l'attendaient de pied ferme. En moins de deux, il est appréhendé. On fouille ses bagages et on y découvre vingt livres de haschisch blond en provenance du Liban.

Le lendemain, à sa comparution, Me Shoofey est appelé à le représenter. Car l'abbé N. est un passeur régulier à l'emploi du réseau Makouk. Au cours des derniers mois, il a fait plusieurs voyages au Canada. La GRC a eu vent de ses activités et on l'attendait avec impatience.

À Beyrouth, l'arrestation du père Abou fit scandale. Et on fit pression sur les dirigeants du réseau Makouk pour que, cette fois, ils jouent le grand jeu. Cette fois on fera le procès et on présentera une défense.

Cette défense était fort ingénieuse. Le père Abou devait prétendre qu'une douce jeune fille d'origine européenne, qui réclamait à Beyrouth une annulation de mariage, lui avait demandé d'apporter avec lui trois valises neuves pour remettre à une amie canadienne.

Le père Abou avait été prendre livraison de ces valises chez un fabricant, y avait placé ses effets personnels et avait pris la route vers Montréal ne se doutant pas qu'elles étaient farcies de haschisch dissimulé dans des doubles fonds.

Le père N. avait donc, en principe, une excellente défense. Cependant, ses témoins principaux étaient à

Beyrouth et ils refusaient carrément de venir à Montréal pour rendre témoignage.

Me Shoofey réclama donc la formation d'une commission rogatoire pour aller questionner les témoins au Liban. Cette requête fut accordée à la condition que la défense en assume les frais.

Frank voulait absolument que je l'accompagne. Mais je ne pouvais me payer un tel périple. Il décida alors de recourir à un subterfuge. Et il convainquit les dirigeants du réseau que, pour mieux dorer la pilule, il devait se faire accompagner d'un «détective privé» qui découvrirait les témoins.

Nous sommes donc partis un beau jour de juillet pour le Liban à bord d'un avion KLM qui nous amenait à Amsterdam.

La commission rogatoire était formée du juge Armand Sylvestre, de la Cour des sessions de la paix, de Me Réjean Paul, aujourd'hui juge à la Cour supérieure et alors procureur-chef adjoint au ministère fédéral de la Justice, de Me Frank Shoofey et de moi-même. Nous allions séjourner à Beyrouth plus de dix jours. Arrivés vers minuit à l'aéroport international de Beyrouth à bord d'un avion de la Middle East Airlines, un taxi nous conduisit à l'hôtel intercontinental où nos chambres étaient réservées. Nous eûmes droit à l'éternelle «promenade touristique». Le voyage prit près d'une heure et on nous chargea plus de 30 $ US.

Nous étions littéralement épuisés, la traversée avait pris près de 20 heures.

Quand je m'éveillai le lendemain matin, je constatai que, de la fenêtre de ma chambre, je pouvais voir la piste d'atterrissage. L'hôtel était à moins de 5 minutes de l'aéroport.

On nous attendait au ministère de la Justice où les autorités devaient accréditer la mission. Au départ, nous avons fait appel à un taxi et je notai que le chauffeur sauta deux ou trois voitures en stationnement pour venir nous cueillir. Il pilotait une luxueuse Mercedes. C'était Omar, et il allait être notre guide durant tout le séjour.

Au moment de notre départ, dix jours plus tard, nous apprenions qu'Omar était un major dans l'armée libanaise et qu'il était attaché aux services secrets. Il accomplit si bien sa mission de surveillance discrète que jamais nous n'aurions pu douter qu'il était chargé de nous espionner!

Le ministre de la Justice libanais nous reçut avec pompes et accrédita rapidement la Commission. Pour nous assister, il désigna le juge d'instruction Assad Germanos, que l'on surnommait le LION, et qui était probablement le seul officier de Justice libanais à faire une lutte à mort aux trafiquants de narcotiques. Le colonel Kassi, de la police, fut chargé de «m'assister» dans mon enquête.

On avait décidé de prendre les choses aisément. Les deux juges décidèrent d'un commun accord qu'ils siégeraient tous les matins de 9 heures à 11 heures et qu'ils récupéreraient le reste de la journée.

Frank Shoofey était attendu à Beyrouth par les dirigeants du réseau qui avaient bien hâte de le rencontrer. Mais organiser cette rencontre ne fut pas chose facile!

Le point de chute était la maison du frère de l'abbé Abou N., un brave comptable dans la cinquantaine avec qui on prit rendez-vous. Il habitait un coquet petit logis en banlieue de la capitale. Omar nous conduisit, Frank et moi, directement à sa porte. Et c'est là que débutèrent nos problèmes.

Les Libanais sont excessivement accueillants! Avant notre départ, la mère de Frank Shoofey nous avait bien prévenus que c'était une insulte impardonnable que de refuser les rafraîchissements que l'on nous offrirait.

On nous accueillit avec une tonne de *mezzés* (des hors-d'oeuvres libanais) et autant de confiseries. On nous offrit plusieurs tasses de café turc. Frank souffrait le martyre car il détestait le café. Mais il le but comme un brave troupier.

Notre hôte parlait à peine l'anglais et le français et, tout en se montrant très accueillant, il était d'une méfiance absolue. Me Shoofey lui avait expliqué le but de la commission mais le brave comptable ne voulait rien entendre. Il nia même connaître le père Abou N. bien que, juste au-dessus de sa tête, on puisse apercevoir sa photo! Ce dialogue de sourds dura plusieurs minutes. À un certain moment, Frank Shoofey perdit patience. Sa mini-colère ne changea pas l'attitude de son interlocuteur, et nous dûmes quitter les lieux Gros-Jean-comme devant.

Le lendemain matin, Frank reçut un coup de fil de la part d'un inconnu qui lui donna rendez-vous au bord de la piscine de l'hôtel. Il me demanda de l'accompagner. Il s'agissait d'un dénommé Salim, un représentant du réseau qui venait aux nouvelles.

Il nous expliqua que son patron nous donnait rendez-vous, le même soir, au Casino du Liban où il nous offrait le dîner et le spectacle. Salim quitta rapidement les lieux, longeant les murs.

Nous nous sommes présentés au Casino du Liban, le soir venu, toujours pilotés par le fidèle Omar. Deux personnages en smoking nous y attendaient et ils se présentèrent à nous sous les noms de M. K. et M. J. Dans l'immense salle à dîner, nos hôtes commandèrent un repas délicieux. Nous avons appris, plus tard, que M. K., un homme au début de la soixantaine, était en fait Jo A., le grand patron du réseau Makouk. Comme c'est souvent le cas au Liban, les deux hommes maniaient parfaitement la langue française et s'exprimaient dans un langage châtié.

Ils avaient une mauvaise nouvelle à nous apprendre. La défense qu'ils avaient préparée était en train de tomber en morceaux.

— Nous avions retenu les services d'une jeune Scandinave qui devait jouer le rôle de la cliente du père Abou N. et qui devait candidement avouer qu'elle avait confié les valises remplies de haschisch au brave abbé. Mais quand elle a appris que le juge Assad Germanos était chargé de vous assister, elle a tout simplement filé à l'anglaise. Le Lion est un homme extrêmement dangereux. Avec lui dans le décor, il nous sera presque impossible de trouver des témoins.

— M. J., de répondre Frank Shoofey, c'est un drame! Sans témoins, la commission rogatoire est tout simplement inutile et le père Abou N. est perdu.

— Ne vous en faites pas, Maître, nous allons trouver une solution. En attendant, amusez-vous tous à nos frais.

Nos hôtes nous offrirent des cigares pendant que nous nous installions confortablement dans nos fauteuils, au Casino, pour assister au spectacle.

Et quel spectacle! Je n'ai jamais rien vu de pareil. En comparaison, les grandes productions de Las Vegas ressemblent à des spectacles d'amateurs. Il y avait plus de 100 artistes en scène; les costumes et les décors étaient tout simplement somptueux.

À un moment, au cours d'un tableau décrivant une charge des Bédoins, il y avait sur scène près de 40 chevaux qui galopaient sur un immense tapis roulant.

Plus tard, ce sont cinq énormes éléphants et quelques chameaux qui vinrent faire leur tour de piste.

Et arrive le clou du spectacle: une série de trappes s'ouvrent au plafond et une cinquantaine de filles nues amorcent une lente descente et aboutissent sur les tables des clients où elles exécutent lascivement une magnifique danse du ventre. Nous étions tout simplement estomaqués.

Avec nos hôtes, nous poussons une pointe aux tables dans l'espoir de tenter notre chance. Encore une fois, nous sommes ébahis. L'or roulait littéralement sur les tables de jeu.

Ainsi, nous avons pu observer un magnat du pétrole perdre près de 50 000 $ au baccara en moins de 15 minutes.

À la sortie, un inconnu s'approche de M. W. et lui adresse quelques mots. Notre hôte revient vers nous et nous le présente.

— Voici M. Marcel F., l'un des propriétaires du Casino.

— J'ai appris que vous êtes chez nous en visite officielle si l'on peut dire.

— Oui.

— On me dit que vous êtes accompagnés d'un juge et d'un autre avocat.

— Oui.

— Si vous le voulez bien, j'invite tout le groupe à dîner, demain soir. Évidemment, je vous réserverai une place de choix pour le spectacle.

Le nom de Marcel F. m'était familier. En retournant à l'hôtel je me rappelai que c'était un grand caïd corse, propriétaire du célèbre restaurant chez Fouquet, sur les Champs-Élysées, et que l'on soupçonnait d'être le cerveau de la french connection.

Le lendemain, nous étions au rendez-vous. On nous reçut comme des princes et M. F. sut se montrer très discret puisqu'on ne l'aperçut pas de la soirée!

Entre-temps, la commission rogatoire était en plan. Pas de témoins, pas de séances! En fait, la commission ne devait siéger qu'à deux reprises durant notre séjour au Liban. Nous en avons profité pour visiter le pays. Nous avons poussé plusieurs pointes vers Baalbek pour y admirer de magnifiques ruines romaines, vers Tyr et Sidon, sur les rives de la Méditerranée, où s'effectuaient d'importantes recherches archéologiques.

Le soir, nous faisions la tournée des grands ducs. À l'époque, —c'était avant la guerre civile qui a complètement détruit la ville depuis, —Beyrouth était reconnue comme le Paris du Moyen-Orient. Les potentats du pétrole, des émirats arabes, de l'Arabie Saoudite et du Koweït, s'y donnaient rendez-vous et occupaient littéralement tous les grands hôtels.

Un soir, le juge Sylvestre invita tout le groupe à dîner au grand restaurant de l'hôtel. Il nous réservait une surprise de taille. Au cours de la journée, il avait fait la tournée des souks de la ville et s'était procuré un authentique costume arabe.

Il avait décidé de le revêtir pour le dîner. D'ailleurs, cette tenue était courante à l'hôtel.

Le juge Sylvestre était un grand sec, au teint basané et au nez un peu proéminent. Le parfait type arabe.

Nous l'attendions patiemment dans le lobby de l'hôtel quand des bruits étranges nous prévinrent qu'il se déroulait un fric-frac près des ascenseurs. On criait à tue-tête, en arabe, comme de bien entendu.

Un émir nous semblait aux prises avec trois ou quatre inconnus.

Tout à coup, l'émir se retourna vers nous et cria:

— Frank, Frank, viens vite.

Nous nous sommes précipités. C'était le juge Sylvestre.

— Va vite chercher un interprète pour que je m'explique. Ces gens veulent me faire un mauvais parti!

Un employé de l'hôtel accourut et on dénoua l'imbroglio.

Le juge Sylvestre avait eu le malheur de rencontrer dans l'ascenseur les gardes du corps d'un émir du Koweït qui séjournait à l'hôtel. Pour son malheur, il portait le costume traditionnel de la tribu de l'émir!

Les gardes du corps lui demandèrent en arabe ce qu'il faisait à l'hôtel.

Jouant son rôle avec conviction, le juge leur répondit par des: Arrough, Arrough.

Voyant qu'il ne parlait pas l'arabe, les gardes du corps prirent panique croyant à un éventuel attentat.

Inutile de dire que le savant magistrat remonta à sa chambre illico et nous revint... en costume de ville!

Le soir, Frank et moi faisions régulièrement la tournée des grands ducs. Ce n'était pas les endroits pour s'amuser qui manquaient!

Sur la seule rue de Phénicie, tout près de l'hôtel, il y avait exactement 53 clubs de nuit et tous présentaient des spectacles variés, de très haute qualité. Ils étaient toujours remplis à craquer.

Un soir nous sommes entrés dans un cabaret mettant en vedette des danseuses du ventre. À peine étions-nous installés à une table près de la scène qu'une sculpturale blonde s'amène et nous demande:

— Messieurs, vous voulez de la compagnie?

— Pourquoi pas? de répondre Frank.

Après tout, ses clients acquittaient la note!

— Vous connaissez la coutume, messieurs, nous dit la belle enfant. Il faut que vous m'offriez une bouteille de champagne.

— Qu'à cela ne tienne, de répondre Frank en passant la commande.

La fille s'appelait Olga et elle était d'origine suédoise. Elle était aussi de très charmante compagnie. Nous savourions lentement nos coupes de champagne tandis qu'Olga et Frank se livraient à un marivaudage de bon aloi.

Au bout de quelques minutes Olga nous dit:

— Vous m'excusez, messieurs, c'est l'heure du spectacle! Je vais revenir dans peu de temps.

La belle Olga était une grande artiste. Elle nous donna un numéro de nu intégral digne des Folies Bergère.

Cependant, durant son spectacle, il se produisit un incident pour le moins inusité.

À trois reprises, un garçon monta sur scène pour y déposer une grosse boîte de carton!

— Qu'est-ce qui se passe? me dit Frank. Quels idiots! Ils transportent leurs provisions durant le spectacle et les déposent sur scène.

Olga termina son numéro sous des tonnerres d'applaudissements et se retira en coulisse laissant la place à une autre artiste.

Une vingtaine de minutes passèrent et la belle Olga ne s'était pas encore manifestée.

Frank commençait à perdre patience. Il appela le maître d'hôtel.

— Voulez-vous demander à Olga de venir nous rejoindre.

— C'est impossible, Monsieur, elle est déjà en main.

— Qu'est-ce que vous voulez dire? Elle était assise avec nous avant le spectacle et elle nous a promis de revenir.

— Je vois que vous êtes des étrangers. Alors je dois vous expliquer notre manière de procéder. Nos filles vont tenir compagnie au plus offrant.

— Mais je lui ai offert une bouteille de champagne.

— Ça ne fait pas le poids. Il y a un gentleman à l'arrière de la salle qui lui a offert trois caisses de champagne. Elle est avec lui.

Inutile de dire que nous avons quitté les lieux sans insister... d'autant plus que le champagne coûtait 80 $ US.

Au cours des jours précédents, Salim nous avait pilotés à plusieurs reprises dans Rass-Beyrouth, le quartier populaire, et nous avait fait visiter un camp de réfugiés palestiniens où des fedayin armés jusqu'aux dents nous avaient surveillés, mitraillette à la main.

— Aimeriez-vous visiter des plantations et une fabrique de haschisch? nous proposa-t-il un soir.

Pour un journaliste, c'était l'occasion rêvée! C'est donc avec plaisir que nous avons accueilli sa suggestion.

Le lendemain matin, nous prenions la route de la vallée de la Beka, toujours pilotés par le fidèle Omar; Salim ne sembla pas s'inquiéter outre-mesure de sa présence. D'ailleurs ils semblaient un peu se connaître et ils fraternisèrent rapidement.

En cours de route, il y eut arrêt à Zahle, un magnifique lieu touristique en basse montagne.

Au cours de nos pérégrinations, nous avions observé une vieille coutume libanaise. Il est d'usage, en effet, de fumer le narguilé.

Le narguilé se fume à l'aide d'une pipe à long tuyau communiquant avec un flacon d'eau aromatisée que la fumée traverse avant d'arriver à la bouche du fumeur. On place une boule de tabac au sommet de la pipe, on l'allume et les convives fument en groupe à l'aide de longs tubes flexibles.

J'exprimai le désir de tenter l'expérience. Omar appela le garçon, lui dit quelques mots en arabe, et quelques minutes plus tard tout le groupe savourait un bon narguilé. La fumée douce et parfumée créa vite chez moi un doux état de torpeur qui dura pendant tout le voyage.

Nous prîmes ensuite la direction de la montagne, en plein coeur du pays Druze. La route traversait une vallée quasi désertique, avec peu de végétation.

Chemin faisant, Omar nous expliqua que les Druzes étaient des personnages un peu spéciaux.

— Ce sont des hommes farouchement indépendants qui n'acceptent pas le joug de la loi. Ils travaillent dur et n'aiment pas que des étrangers s'immiscent dans leurs affaires. Il y a un peu plus de deux ans, le juge Germanos a décidé de monter une expédition pour mettre un terme au trafic de la drogue. Il a recruté deux cents soldats et policiers et ils ont pris la route en half-tracks. Cependant, les Druzes avaient eu vent de l'expédition et ils attendaient les visiteurs de pied ferme. La bataille dura trois jours et la petite armée dut retraiter après avoir perdu une trentaine d'hommes morts au champ d'honneur. Depuis, on leur fiche la paix.

Ce récit n'était pas pour nous rassurer! Le chef du clan nous attendait et nous avons eu droit à la traditionnelle réception: mezzé, confiseries, arrak et café turc. Il nous conduisit dans les champs et crevasses où se cultivait le cannabis sativa et nous fit visiter sa petite fabrique de haschisch où il produisait plus de 1000 kilos de blond libanais chaque année.

J'en profitai pour prendre une bonne cinquantaine de photos, fier de la primeur que j'allais rapporter avec moi à Montréal.

En revenant vers Beyrouth, comme j'étais toujours dans les nuages, je fis part de mon état d'âme à Omar qui éclata d'un rire franc.

— Je vous ai fait un petit cadeau. J'ai demandé au garçon de glisser une petite boule d'opium dans notre narguilé!

J'avais l'explication. J'étais gelé jusqu'aux oreilles!

Nous avons trouvé la farce très drôle sur le coup... mais à mon retour à Montréal je devais maudire Omar quand je me rendis compte que mes précieuses photos de la fabrique de haschisch étaient toutes hors foyer et qu'elles n'étaient absolument pas publiables. Je réussis quand même à en sauver deux ou trois.

Frank voulait absolument profiter de sa visite au Liban pour visiter les lieux où il avait ses racines. Son grand-père était originaire de la banlieue de Beyrouth, mais il n'avait plus de famille connue au Liban.

Les parents de sa mère, Lucy, étaient originaires d'un petit village situé à flanc de montagne, à deux kilomètres de la frontière commune entre la Syrie, Israël et le Liban.

Nous avons pris la route au petit matin pour nous rendre au pays de ses ancêtres. Il nous fallut traverser un désert durant près de trois heures avant d'arriver sur les lieux.

Nous nous sommes retrouvés au beau milieu d'un véritable champ de bataille. À chaque carrefour, un contrôle de l'armée libanaise protégé par trois nids de mitrailleuses et quatre ou cinq tanks. L'armée était omniprésente et il régnait partout une atmosphère de tension soutenue car l'ennemi est tout près. Un ennemi qui a double face.

À cette époque, les Bédoins du roi Hussein cherchaient à expulser par les armes les centaines de milliers de Palestiniens qui habitaient son royaume et les fedayin étaient très nerveux.

Ils étaient installés partout en montagne, si bien que les canons pointaient plus souvent vers l'intérieur que vers Israël. Les autorités libanaises ne toléraient pas les raids meurtriers vers Israël.

Pour arriver à Rashaya Wadi, il fallut montrer patte blanche à quatre reprises. Les trois premières fois, Omar réussit à nous faire traverser les barrages sans aucun problème. Au quatrième poste de contrôle, ce fut une tout autre histoire. L'officier commandant était très agressif et quand il aperçut mes caméras, il nous ordonna de sortir de l'auto et nous conduisit, Frank et moi, vers une redoute où il nous enferma à clé.

Le brave Omar usa sans doute de son influence puisque, un quart d'heure plus tard, un autre officier vint nous libérer pour nous conduire vers une tente où il nous interrogea poliment. Il nous apprit qu'il fallait une permission expresse du Deuxième Bureau libanais (les services secrets) pour visiter la région.

Nous mourions de soif. L'officier nous demanda si nous voulions quelques raffraîchissements.

— Oui, de clamer Frank, je voudrais un Coke glacé.

— Très bien, mais ça va prendre un petit moment.

Quinze minutes plus tard un hélicoptère atterrissait dans une clairière. Le pilote apportait six bons Coca-Cola. Telle est l'hospitalité libanaise!

Il fallut près de deux heures avant que les choses ne s'arrangent et que nous puissions poursuivre notre route... sous escorte militaire.

Dans le modeste village ancestral, tout était calme. De petites rues typiques où s'amusaient les enfants. Un résident nous dirigea vers la demeure de la famille Daoud à flanc de colline. La vue est magnifique. Le téléphone arabe a fonctionné! Il y a des étrangers dans le village.

Une arrière-grand-tante, prévenue on ne sait trop comment de notre arrivée, se précipite dans la rue suivie de sa petite fille et d'une ribambelle de cousins. Elle s'arrête un moment. Elle saisit alors Me Shoofey par les épaules et lui donne une bonne bise sur les joues. Puis, bras dessus bras dessous, l'aïeule et le jeune avocat se dirigent vers la maison paternelle. Le grand-oncle Salim, âgé de 78 ans, se repose à l'intérieur. Sa vue est très faible. On lui présente un petit-neveu. Il prend deux pas de recul, puis trompé par l'abondante perruque que porte Frank il demande:

— C'est un gars ou une fille?

Il ne faut que quelques minutes pour que la maison se remplisse. Les jeunes surgissent de toute part pour voir leur cousin américain. Omar sert d'interprète puisque personne ne parle ni le français ni l'anglais. On nous offre des fruits, des rafraîchissements, de l'arrak et du café. À la cuisine, les femmes apprêtent les mezzés.

Il est temps de partir. On ne veut pas. On nous a même préparé une chambre. Il faut quand même revenir à Beyrouth puisque la commission siège le lendemain matin.

En cours de route, Frank ne dit pas un mot ou presque. Il était profondément ému par ce retour aux sources.

Le lendemain, le tribunal siégeait. Le juge Sylvestre entendit quelques représentants de l'archevêque qui lui expliquèrent le travail qu'effectuait le père Abou. Ils tracèrent un portrait très éloquent de sa carrière ecclésiastique et conclurent qu'il était un saint homme qui ne pouvait avoir été mêlé que bien malgré lui à un trafic de haschisch.

Le jour suivant, la commission tint une autre séance. Cette fois, le réseau avait déniché un fabricant de valises qui voulut bien admettre qu'il avait façonné les doubles fonds.

La présence du juge Germanos le secoua drôlement, si bien qu'il admit avoir menti pour de l'argent.

C'était un véritable désastre.

Il était temps de plier bagages. Nous étions à Beyrouth depuis dix jours.

Avant de revenir au pays, nous avons décidé de nous payer de courtes vacances en Grèce et de faire une étape à Amsterdam.

Nous avons pris l'avion vers Athènes au beau milieu de l'avant-midi, gardant du Liban un souvenir inoubliable.

Sur l'appareil de la Middle East Airlines qui nous conduisait vers la capitale de la Grèce, Me Shoofey était un peu songeur. Je décelai même une larme qui pointait au bout de ses paupières.

À notre arrivée à Athènes, nous eûmes à faire face à un sérieux problème. Nous avions pris la décision à la hâte et nous n'avions pas réservé de chambres dans un hôtel. On était au plus fort de la saison touristique et les hôtels étaient bondés.

Un chauffeur de taxi nous fit faire la tournée des grands palaces. Aucune chambre de libre.

Il nous baragouina qu'il connaissait un petit hôtel où nous pourrions nous loger. Il nous conduisit au Pirée, qui est le port d'Athènes, où il nous amena dans un hôtel meublé!

Nous ignorions, à l'époque, ce qu'étaient les hôtels meublés. Le nôtre était un petit hôtel modeste, situé en plein quartier populaire. Malgré son aspect un peu rébarbatif, nous nous sommes inscrits à la réception.

Puis on nous amena dans une pièce voisine… pour choisir les «meubles»! Les meubles, c'étaient des prostituées un peu fanées qui devaient occuper nos nuits. Nous devions choisir celle qui meublerait notre séjour.

Inutile de dire que nous avons quitté ce bouge à toute vitesse. Mais pas avant d'avoir quand même versé chacun la somme de 25 $ au garde-chiourme pour annuler la chambre.

Le chauffeur nous conduisit Place de la Constitution, dans la capitale, où, après avoir pris une bouchée à un café-terrasse, nous avons repris la chasse.

C'est là que la chance nous sourit. C'était l'heure de la sieste et il y avait à peine une dizaine de curieux qui arpentaient la grande place. Tout à coup, un grand cri.

— Frank, qu'est-ce que tu fais à Athènes?

C'était un homme d'affaires d'origine grecque que Frank avait représenté quelques mois auparavant et qui était en vacances au pays de ses pères.

Nous lui avons raconté notre aventure. Il avait la solution à notre problème! Son frère opérait un joli petit hôtel près de l'aéroport et, en moins de temps qu'il ne faut pour le dire, il nous trouva des chambres où nous loger.

Nous avons profité de notre séjour en Grèce pour prendre un repos bien mérité. En fin de journée nous avons pu nous rendre au Parthénon et admirer les magnifiques monuments de la Grèce antique. Puis nous avons dîné à la Plaka au son du bousouki.

Après quatre jours de repos, nous fîmes une excursion en bateau dans les îles grecques d'où nous revinrent absolument enchantés.

Ensuite ce fut Amsterdam, où nous n'avons séjourné que trois jours. Nous eûmes le temps de visiter la ville et ses magnifiques canaux où des centaines de prostituées offrent leurs charmes en vitrine.

Puis ce fut le retour à Montréal. Nous avions effectué un voyage tout simplement extraordinaire.

Il restait maintenant à régler le cas de l'abbé Abou.

La preuve de la Couronne était terminée avant notre départ pour le Liban. À la séance suivante, Me Shoofey produisit en preuve les transcriptions des témoignages recueillis en commission rogatoire.

Le juge Sylvestre prit le tout en délibéré. Un mois plus tard, il était prêt à rendre sa décision.

— Coupable, dit-il au vénérable abbé.

Et il le condamna, séance tenante, aux sept années de pénitencier prévues au code comme peine minimum.

Frank n'abandonna pas l'abbé à son sort. Il entreprit une série de démarches et obtint pour lui une libération conditionnelle anticipée un peu plus de deux ans plus tard. Les autorités de l'immigration le placèrent à bord d'un avion et il quitta le pays en jurant qu'on ne le reprendrait plus.

Chapitre 7

LE MONDE DE LA POLITIQUE

Alors qu'il était encore étudiant à l'école secondaire, Frank Shoofey fut piqué par le démon de la politique. Il en resta marqué durant toute sa vie!

Frank voulait servir, sans arrière-pensée, sans réserve. Il voulait être député, faire ses gammes, puis devenir ministre de la Justice. C'était l'ambition de sa vie.

Il adhéra au Parti libéral provincial alors qu'il était encore étudiant en droit à McGill. Et il joua alors un rôle actif au sein des Jeunes libéraux. En politique, comme dans la pratique de son métier, Frank Shoofey était un véritable tourbillon. Il ne ménageait ni ses heures ni ses efforts, participant aux assemblées de nomination, aux congrès régionaux, jouant un rôle actif au sein des comités de travail.

Quand il fut admis au Barreau, il se joignit à l'étude légale de Me Maurice S. Hébert qui était située au coeur du comté de Saint-Jacques. Pour lui, c'était un double coup de chance. En effet, l'organisation libérale était tout simplement à l'abandon et Frank y avait de profondes racines.

Il était natif du comté, il y avait fait ses premiers pas et il y connaissait des centaines de gens.

Les grands manitous du parti lui demandèrent alors de s'impliquer directement et de restructurer l'organisation locale. On lui laissa entendre que, s'il réussissait, la nomination libérale aux prochaines élections provinciales était dans sa poche. Il s'attaqua immédiatement à la tâche et se rendit bientôt compte qu'il avait une dure côte à remonter.

En 1966, l'Union nationale, sous la férule de Daniel Johnson, était au pouvoir à Québec. Et le parti de Maurice Duplessis était confortablement installé dans le comté de Saint-Jacques. Dans toute l'histoire moderne du comté, jamais un libéral n'y avait été élu!

Saint-Jacques était le fief de l'honorable Omer Côté qui y avait installé en 1936 une solide machine particulièrement efficace. Omer Côté avait été député pendant près de 20 ans avant d'avoir un accrochage avec le chef. Il prit sa retraite et fut nommé juge à la Cour des sessions de la paix. Paul Dozois, qui était membre du comité exécutif de la Ville de Montréal, lui succéda et il fut nommé ministre des Affaires municipales. Quand il prit sa retraite, à son tour, ce fut Jean Cournoyer qui lui succéda et qui fut vite nommé ministre du Travail.

Shoofey savait que le combat n'allait pas être facile. Il devrait faire la lutte à un adversaire prestigieux avec les moyens du bord.

Il s'immisça rapidement au sein d'une organisation moribonde qu'il sut prendre en main sans rencontrer aucun problème. Malgré tous ses efforts, le recrutement s'avérait difficile. C'est alors qu'il eut une idée de génie.

L'organisation libérale fédérale était solidement implantée dans le quartier. Suivant une longue tradition, les gens de Saint-Jacques votaient rouge à Ottawa et bleu à Québec. Jacques Guilbault, un jeune ingénieur, espérait pour sa part devenir candidat libéral officiel aux prochaines élections fédérales. Ils décidèrent alors de former une alliance. Pour Shoofey et les libéraux provinciaux ce fut un déblocage immédiat. Les deux associations parallèles louèrent un comité conjoint, rue Cherrier, où les volontaires commencèrent à affluer et à former une équipe efficace.

Entre-temps le Premier ministre Daniel Johnson avait été foudroyé dans la force de l'âge et Jean-Jacques Bertrand lui avait succédé.

En mars 1970, quand le nouveau Premier ministre décida d'en appeler au peuple, Frank Shoofey était tout fin prêt à la bagarre. Il se considérait à juste titre comme l'héritier présomptif du comté. Il allait vite déchanter.

Robert Bourassa avait été élu chef du Parti libéral. Frank avait travaillé activement à la course à la chefferie et il lui avait livré les délégués de Saint-Jacques sur un plateau d'argent.

Cependant pour rallier son adversaire à la chefferie, le député du comté de Chambly, Pierre Laporte, Bourassa avait conclu avec lui une entente secrète. Il avait promis de lui céder neuf comtés, la plupart dans la grande région métropolitaine. Dans ces neufs comtés, Laporte pouvait désigner les candidats de son choix. Il s'assurait ainsi d'avoir un noyau de partisans bien à lui au sein du caucus. D'après l'analyse des dirigeants, Shoofey avait effectué du si bon travail dans le comté qu'on le considérait nez à nez avec le ministre Jean Cournoyer.

On décida alors de «donner» le comté à Pierre Laporte. Si on y présentait un candidat prestigieux et que Shoofey lui donnât son entier appui, le parti avait d'excellentes chances de faire mordre la poussière à son adversaire. Car, à l'époque, on ne pouvait s'imaginer que le Parti québécois était dans la course.

Il fallait maintenant vendre cette salade à Frank Shoofey. On attendit l'avant-veille de la date de l'assemblée de mise en nomination.

Un délégué de l'organisation centrale vint lui annoncer la nouvelle. Bourassa voulait que René Gagnon, que l'on considérait comme le «penseur du Parti libéral», car il avait rédigé une bonne partie du programme, soit le candidat officiel dans Saint-Jacques. René Gagnon était aussi l'homme de confiance de Pierre Laporte, et il avait été l'un des principaux organisateurs de sa campagne à la chefferie.

Shoofey fut pris d'une rage folle et engueula proprement le délégué du parti. Il refusa net de se plier à cette requête.

Le lendemain, on lui ménagea un entretien avec Bourassa qui sut le convaincre de céder sa place et de se rallier au candidat choisi.

Frank avala cette pilule un peu amère, mais il joua le jeu loyalement.

Le parachutage eut lieu le lendemain en présence de Pierre Laporte. Frank Shoofey y prononça un excellent discours soulignant qu'il se ralliait sans réserve à la décision du parti et qu'il était le premier à entrer dans la bagarre.

Pour dorer un peu la pilule, on annonça qu'il venait d'être désigné comme organisateur officiel du parti dans le beau comté de Saint-Jacques. Frank accepta ce poste avec gratitude, ignorant qu'il allait être tout simplement un homme de paille.

Quelques jours plus tard, Gagnon et son équipe du tonnerre envahirent le comté. Le candidat y amenait un groupe bien structuré dirigé par Côté, un tavernier pour qui l'organisation électorale n'avait aucun secret. Côté prit vite en main l'organisation et la machine se mit à fonctionner. Ses rouages étaient bien huilés.

Gagnon habitait Québec depuis assez longtemps et il était totalement inconnu dans le comté. Il s'y trouva vite un pied à terre, louant un appartement dans un grand édifice au 1150 de la rue Sherbrooke.

Frank Shoofey entreprit un véritable blitz avec le nouveau candidat. Il arpenta le comté dans tous les sens, présentant son poulain à tout venant. Shoofey y consacra toutes ses soirées jusqu'au jour du scrutin.

Côté était un habile stratège qui avait appuyé en secret la campagne d'un candidat à la chefferie du Parti libéral.

Un jour, Côté reçut un mystérieux coup de fil. On lui demandait de fixer de toute urgence un rendez-vous avec l'ex-candidat en question. On avait quelque chose d'extrêmement délicat à lui confier.

Côté fixa le rendez-vous en fin de soirée à l'appartement de Gagnon, au 1150 de la rue Sherbrooke et il décida d'y assister en compagnie du candidat.

Vers 9 heures, Gagnon et son organisateur quittèrent le comité pour se rendre au rendez-vous secret.

J'étais sur les lieux en compagnie de Frank Shoofey. Quelques minutes plus tard, le chauffeur de N. D. entre en trombe et demande à parler à Frank privément. L'entretien à deux à peine terminé, Frank enfile son imperméable et quitte les lieux en toute hâte.

Il revint quelques minutes plus tard et me convoque dans un coin.

— Claude, me dit-il, sais-tu ce qui se passe? Côté et Gagnon ont organisé une rencontre entre C.D., F.D. et l'ex-candidat à la chefferie. Elle est en cours actuellement à l'appartement. Ils avaient perdu l'adresse et ils m'ont demandé d'aller les reconduire. Je ne sais pas trop ce dont ils vont discuter. Je n'aime pas ça. C'est de la dynamite. Et ça peut exploser à tout moment.

Environ une heure plus tard, Côté et Gagnon revinrent au comité et Frank leur demanda immédiatement des comptes.

Côté lui apprit alors que C. venait de leur rendre un fier service.

— Un parti politique a mis sur pied une énorme organisation de passeurs de «télégraphe». Ils veulent s'en prendre à l'ex-candidat à la chefferie en particulier. Il nous a fourni tous les détails et il va nous donner un coup de main pour les neutraliser.

Shoofey, qui avait ses propres contacts dans le milieu, découvrit vite qu'il s'agissait là d'un «piège à la con» et que l'organisation clandestine n'existait que dans l'imagination fébrile des deux comparses. Il prévint immédiatement Côté qui relaya le message à qui de droit.

Lors d'audiences subséquentes de la Commission d'enquête sur le crime organisé, on apprit avec stupeur que la rencontre ultra-secrète avait eu lieu sous surveillance policière active et que C. et D. avaient demandé en échange que la Sûreté du Québec se montre conciliante à l'endroit d'une maison de jeu de la rive sud que les policiers «raidaient» d'une façon régulière et que l'on mette un terme aux descentes policières dans les clubs de nuit.

Selon Côté, la réunion prit fin sans que l'ex-candidat à la chefferie ne prenne d'engagements précis.

Lors des élections, Gagnon mordit la poussière mais le Parti libéral fut élu haut la main. Le candidat défait ramassa ses cliques et ses claques et regagna Québec où il fut nommé chef de cabinet d'un ministre.

Gagnon avait subi la défaite par la peau des dents. Son adversaire Claude Charron, une jeune vedette du Parti québécois, remporta la victoire avec moins de 1500 voix de majorité.

Le ministre Jean Cournoyer fut renvoyé aux orties par les électeurs. Il finit en troisième place.

Selon les experts, si Frank Shoofey avait été candidat il aurait facilement remporté la victoire.

Ironie du sort, Jean Cournoyer sauta la clôture et fut élu député de Chambly.

En 1972, Bourassa qui commençait à reprendre de l'assurance, déclencha de nouvelles élections générales.

Cette fois, Frank Shoofey était absolument sûr qu'il avait la nomination dans sa poche. D'ailleurs quand il avait accepté de céder sa place aux élections précédentes on lui avait formellement promis qu'il serait le candidat officiel du Parti libéral lors des prochaines élections générales si Gagnon subissait la défaite.

Il contrôlait parfaitement l'organisation du comté. Se méfiant d'un nouveau coup de jarnac, Shoofey ne prit aucune chance et convoqua rapidement une convention pour le choix du candidat. Il fut élu à l'unanimité, mais le parti lui préféra un autre candidat.

Il obtint cependant la permission de pouvoir désigner lui-même le candidat libéral dans le comté. Il choisit la présidente de l'association locale, Mme Micheline Brisebois, qui subit une sévère défaite aux mains de Claude Charron. Cependant, il avait réussi à arracher une promesse formelle au chef du parti à l'effet que le gouvernement provincial aiderait au financement de la construction d'un centre sportif au coeur du quartier.

Quelques années plus tard, fier comme Artaban, Frank Shoofey assistait à l'inauguration de l'aréna Camillien-Houde.

Malgré toutes ces rebuffades, Frank avait toujours d'énormes ambitions politiques. Il était sûr qu'il allait enfin avoir sa chance. Dans cette perspective, il gardait toujours la haute main sur l'organisation locale dont il fut président à deux reprises. Et quand il cédait ce poste, il veillait à ce qu'un homme de confiance le remplace. C'est ainsi qu'il désigna un de ses associés, Me Serge Champagne, pour cette fonction délicate. Il ignorait que cette décision allait le hanter dans le futur.

En 1976, sentant que le vent allait tourner, il ne rechercha pas activement la nomination libérale dans le comté. Dans son optique, Claude Charron était absolument imbattable.

En 1981, ce fut une tout autre histoire. Frank Shoofey était convaincu que le Parti libéral allait prendre le pouvoir. Ne voulant pas subir d'autres rebuffades, il tâta le terrain auprès de son nouveau chef Claude Ryan qui lui recommanda de se tenir à l'écart.

Quand Claude Charron fut forcé de démissionner à la suite d'une série de mini-scandales, Shoofey décida de saisir la chance au vol.

Il était sûr, cette fois, de remporter la victoire. Il convoqua rapidement une convention et fut facilement choisi comme candidat officiel.

La réaction ne se fit pas attendre. Les autorités du parti le désavouèrent à nouveau, — c'était devenu une habitude — et nommèrent d'office Me Serge Champagne, un ex-associé.

À la surprise générale, Me Champagne remporta la victoire et il devint le premier libéral à représenter le comté de Saint-Jacques.

Frank prit cette victoire avec amertume. Il en fit presque une dépression. On lui avait «volé» un poste qui lui revenait de plein droit. Me Champagne était en train de s'installer confortablement dans ses meubles. À l'Assemblée nationale, il faisait bonne impression. Quelques mois encore et il allait devenir indélogeable. Frank voyait ses espoirs fondre comme la neige au soleil. Soudain, ce fut le drame. Me Champagne perdit la vie au cours d'un terrible accident de voiture sur la route de Québec.

À nouveau, le poste était vacant. Pour Frank, c'était une chance inouïe. On devrait tenir des élections partielles et encore une fois il pourrait être candidat, à la condition de se faire accepter par le parti.

Claude Ryan avait démissionné et Robert Bourassa avait réussi à obtenir une seconde chance malgré l'ignominieuse défaite qu'il avait subie en 1976 alors qu'il n'avait même pas pu se faire élire dans son propre comté.

Frank avait appuyé son ancien chef dans la remontée qu'il avait entreprise. Et, à la convention, les délégués de Saint-Jacques avaient voté en sa faveur.

Il sonda discrètement le terrain.

Et on parachuta un jeune Dieu du parti. Frank tenta de lui placer un candidat-maison dans les pattes. Sans succès.

Devant la tournure des événements, il songea sérieusement à contester l'élection comme candidat indépendant. Il abandonna vite ce projet quand il se rendit compte que, malgré son immense popularité, les dés étaient pipés contre lui à cause de la Loi sur le financement des partis politiques.

Durant tout le temps où les libéraux furent au pouvoir, soit de 1970 à 1976, Frank Shoofey a toujours agi comme le député non officiel du comté. Il avait su se ménager des entrées au sein du gouvernement et il travaillait avec acharnement pour régler les problèmes des citoyens du comté qui aboutissaient sur son pupitre. Chaque soir, il recevait une dizaine d'électeurs et écoutait religieusement leurs doléances.

Lorsqu'en 1976 le Parti québécois relégua Robert Bourassa et son équipe aux oubliettes, et qu'il fut appelé à former le gouvernement, Frank Shoofey conclut une entente de travail avec le représentant de comté du ministre Claude Charron à qui il referait en sous-main les problèmes les plus urgents.

Pour les électeurs de Saint-Jacques, Frank Shoofey était toujours disponible. Malgré ses évidentes qualités, son sens de la publicité, son dévouement, sa fidélité, les hautes instances du parti ne se sont pas gênées pour l'écarter à plusieurs reprises, d'un simple revers de la main, un peu comme une mouche qui cherche à se poser sur le nez.

Frank Shoofey était persévérant. Et il n'acceptait jamais la défaite. Seule la mort l'aura empêché de tenter encore une fois sa chance.

Chapitre 8

LE MONDE DU SPORT

Depuis sa tendre jeunesse, Frank Shoofey a toujours été un mordu du sport. Comme tous les jeunes de son âge, il a pratiqué le hockey sur les patinoires du centre-ville où il a été élevé. Doté d'une piètre coordination, il n'avait aucun talent pour le sport.

Cependant, alors qu'il fréquentait l'école secondaire, il pratiqua quelque peu la boxe amateur. Il remporta même deux ou trois combats avant d'accrocher définitivement ses gants. Toute sa vie, cependant, il demeura fidèle à ses premières amours si bien qu'il ne manqua pas un programme de boxe professionnelle au cours des quinze dernières années.

On le retrouvait toujours à la même place, en première rangée au bord de l'arène. Ses billets étaient automatiquement réservés à l'avance auprès de Georges Cherry, le propriétaire du club de boxe Champion, qui vend à des amis sûrs plus de 3 000 billets à chaque programme de boxe. Lors du fameux combat Duran-Leonard, au stade Olympique, Frank Shoofey ne put occuper ses sièges favoris. Il fit alors une sainte colère et, grâce à ses contacts, il dénicha d'excellents billets en sixième ou septième rangée. Néanmoins, il n'était nullement satisfait.

— J'étais mal placé, me dit-il le lendemain. Je ne pouvais, comme d'habitude, vivre le combat. Normalement, de ma place j'entends le souffle des boxeurs. Je peux juger au son la portée des coups. D'où j'étais placé, cela était impossible.

Frank avait été durement affecté par le décès du jeune Cleveland Denny, qui avait succombé sous les coups du champion canadien des poids légers, Gaëtan Hart.

— C'est à n'y rien comprendre, commenta-t-il. Hart frappe comme un pygmée et c'est sa deuxième victime en quelques mois. Un tel drame nous porte à réfléchir. La boxe est vraiment un sport brutal. Il faut faire quelque chose. Il faut que les examens médicaux avant les matches soient beaucoup plus élaborés. Je crois que je vais faire une recommandation à la Commission athlétique à ce sujet.

Au cours des semaines qui suivirent il apporta une aide discrète à la jeune veuve du boxeur qui était décédé dans l'arène.

Frank Shoofey avait toujours rêvé de devenir gérant de boxeurs. Sa première aventure dans ce domaine se termina par une déconfiture totale.

À la fin des années soixante, André Desjardins, le Roi de la construction, prit contact avec lui et lui proposa un marché.

À l'époque, à Montréal, il y avait une jeune étoile montante au firmament de la boxe: Gérald Ratté. Ce jeune boxeur avait du punch. Ses adversaires, de jeunes espoirs locaux, tombaient comme des arbres sous ses coups de massue. Et on craignait comme la peste son uppercut de droite qui lui avait valu une bonne dizaine de victoires.

Ratté ne touchait que des bourses minables, 200 $, 300 $ par combat, et il était dans la dèche.

— Frank, lui dit Dédé Desjardins, Ratté a des problèmes et il est venu me voir. Il veut que je m'occupe de lui. Ça m'intéresse, mais je me cherche un partenaire. Tu es le gars idéal pour négocier ses contrats et s'occuper de ses affaires. Veux-tu t'embarquer avec moi? On va lui donner chacun 100 $ par semaine pour ses dépenses. Tu vas rédiger un contrat exclusif nous liant avec lui. Nous toucherons 30 % de ses bourses. Qui sait? S'il effectue une percée, ça peut devenir intéressant.

Il ne lui fallut que quelques jours pour conclure le marché. Frank et Dédé devinrent les gérants officiels de Gérald «Ti-Cul» Ratté. Sous la direction de ses nouveaux mentors, le jeune boxeur continua sur sa lancée et remporta quelques victoires, la plupart contre des boxeurs locaux. Frank avait réussi cependant à tripler ses bourses. Bons princes, les deux gérants décidèrent de ne pas toucher la prime au contrat.

Puis ils décidèrent qu'il était temps de lancer leur protégé sur la scène internationale. Pour mieux le protéger ils court-circuitèrent les promoteurs locaux de façon que Ratté puisse toucher une bourse beaucoup plus intéressante.

Grâce à ses contacts, Frank Shoofey lui avait déniché un adversaire de taille, Brad Silas, un jeune Américain d'origine portoricaine, qui avait rencontré les meilleurs pugilistes de sa catégorie. Un personnage bien connu du milieu, «Hermann The Butcher», accepta de jouer le rôle de promoteur. Et pour éviter les problèmes de permis émanant de la Commission athlétique de Montréal on décida de présenter le combat à l'aréna de Verdun.

Shoofey avait choisi Silas avec un soin jaloux. Ce jeune boxeur jouissait encore d'une excellente réputation. Trois ans auparavant il avait perdu un combat contre le champion de sa catégorie et il avait subi une amère défaite et avait aussi été vaincu à ses cinq ou six dernières rencontres.

«Avec son punch, Ratté va le descendre en deux ou trois rondes», de me dire Shoofey le soir du combat.

Silas, qui savait qu'il jouait les pigeons, ne s'était nullement entraîné avant le combat. Pour ne pas prendre de chance, on lui fit boire trois bonnes bouteilles de vin quelques heures avant le combat si bien qu'il était complètement «gelé» quand il monta dans l'arène. Il demanda même au gérant de Ratté de conseiller à son poulain de ne pas trop le «maganer» dans l'arène.

Le combat s'engagea. En belle forme, Ratté mitraillait littéralement son adversaire. Soudain, il laissa partir un uppercut à la mâchoire de Silas. La foule s'anima. C'était le commencement de la fin.

À son tour Silas répliqua d'un puissant jab de gauche à la mâchoire de Ratté. À la surprise générale, Ratté s'écroula pour le compte. Il avait une mâchoire de verre!

Après le combat, Silas s'excusa.

— Je ne sais pas ce qui s'est produit. Je n'ai jamais vu cela. Je l'ai knockouté avec un jab!

Pour Ratté, la déchéance fut rapide. Silas avait découvert sa faille. Au cours des mois qui suivirent, ses adversaires, qui n'avaient plus de respect pour lui, lui en firent voir de toutes les couleurs et les défaites s'accumulèrent à un rythme accéléré. Dédé Desjardins perdit tout intérêt dans la carrière de son jeune protégé mais, malgré ses désillusions, Frank Shoofey lui resta fidèle jusqu'à la fin.

Ratté n'aimait guère servir de sac d'entraînement et il prit vite sa retraite.

C'était le début de la fameuse guerre de l'Ouest mettant aux prises le clan McSween et le clan des Dubois, et qui allait faire, en un peu plus de trois ans, 22 victimes.

Ratté pour sa part mourut trois semaines plus tard. C'était officiellement un suicide. Il mourut d'une trop forte dose d'héroïne. La rumeur cependant veut qu'on lui ait fait une injection forcée et qu'on l'ait ainsi éliminé.

Shoofey s'intéressa ensuite à la carrière d'un jeune boxeur, Arthur Jones, qui démontrait un certain talent. Mais, comme il n'était pas sérieux, il le laissa vite tomber.

Puis ce fut un temps d'arrêt... jusqu'à l'arrivée sur la scène locale des frères Hilton, The Figthting Hiltons, comme on les appelle aux USA.

Les frères Dave, Alex, Matthew et Stewart Hilton se sont abattus sur le monde de la boxe un peu comme un ouragan. Pour la première fois, les Montréalais pouvaient applaudir d'authentiques vedettes locales au talent certain qui avaient d'excellentes chances d'atteindre les plus hauts sommets sur la scène internationale.

Inutile de dire que beaucoup de gens tournaient autour de la célèbre famille! De nombreux promoteurs tentaient de s'arracher leurs services. C'est finalement Henri Spitzer qui arracha, pour un temps, le morceau.

Georges Cherry, lui-même ancien champion de boxe, créa de toutes pièces le club de boxe Champion pour faciliter l'entraînement des jeunes vedettes.

Grâce à leur réputation, le club Champion devint vite la Mecque de la boxe à Montréal.

Pendant ce temps Frank Shoofey observait le tout en coulisse et continuait d'aller applaudir les Hilton à l'aréna Paul-Sauvé.

Bien servis par une habile publicité, les Hilton devinrent vite les favoris des amateurs, et des foules nombreuses se pressaient aux guichets lorsqu'ils étaient à l'affiche.

Frank Cotroni s'intéressait de très près à la carrière des Hilton. Il connaissait d'ailleurs intimement le père, Dave senior, qui a lui-même fait une belle carrière dans la boxe.

Si l'on en croit les témoignages rendus lors des séances de la Commission d'enquête sur la boxe, Frank Cotroni jouait, auprès des Hilton, le rôle de grand-papa gâteau. Il les dépannait financièrement lorsqu'ils avaient des problèmes . . . il donnait de bons conseils aux jeunes espoirs quand il leur arrivait de s'épivarder et il veillait d'une manière générale à leurs intérêts.

Il y veillait si bien qu'il demanda à Frank Shoofey, dont il connaissait la probité, de devenir leur gérant officiel.

Shoofey hésita longtemps avant de s'embarquer dans une telle galère. Frank Cotroni était le genre d'homme à qui on ne peut rien refuser. Il me fit part, à plusieurs reprises, de ses inquiétudes.

— Je ne veux pas jouer les hommes de paille, me dit-il. Je suis prêt à m'occuper des intérêts des Hilton. Mais pour moi, mes protégés vont passer avant tout. Je ne tolérerai aucune ingérence qui jouera contre leurs intérêts.

Finalement, Shoofey accepta. Le jour de la signature du contrat, Frank Cotroni entra en contact avec lui, lui suggérant d'exiger 50 % des cachets de ses protégés. Cette exigence l'inquiéta beaucoup. Frank avait suggéré à papa Hilton qu'il lui verse 20 % des cachets.

— T'inquiète pas, Frank, de lui dire Cotroni, l'affaire est réglée avec les Hilton. Tu pourras ainsi mieux contrôler leurs dépenses et tu pourras placer 25 % de leurs bourses pour eux.

Avant d'accepter, Frank prit la précaution d'obtenir l'assurance qu'on ne lui demanderait jamais de verser une partie des cachets des Hilton à qui que ce soit.

En quelques mois, les Hilton firent une montée fulgurante. Ce fut tour à tour les deux galas au Forum, qui firent salle comble... même si les deux combats Mario Cusson - Dave Hilton déçurent amèrement les amateurs et coûtèrent une petite fortune à certains parieurs.

Les frères Hilton étaient tout fin prêts à effectuer une percée sur la scène internationale. Or aux États-Unis, la boxe est contrôlée par un groupe fermé. Et si on ne montre pas patte blanche, il est pratiquement impossible de franchir la porte qui conduit à la fortune et aux combats de championnat. Le plus puissant de ces groupes est contrôlé par le promoteur Don King. King, qui contrôle les plus grandes vedettes du monde de la boxe, — Mohammed Ali, Hector Gamacho, Larry Holmes, Martin Hagler et autres, — a dans son écurie des dizaines de boxeurs noirs qui sont au faîte de leur popularité.

Il y manque cependant des espoirs blancs. Or aux États-Unis, dans le domaine de la boxe, seuls comptent les téléspectateurs. Les foules locales ne représentent qu'une partie infime des cachets versés. Les grands réseaux américains CBS, NBC, ABC, versent de petites fortunes pour obtenir les droits de télévision des grands combats. Et un pugiliste et un promoteur astucieux peuvent devenir instantanément millionnaires si un combat est présenté en circuit fermé.

Comme Don King contrôle les plus grandes vedettes, les réseaux américains mangent dans sa main. Et comme les combats entre un Noir et un Blanc suscitent un intérêt soutenu de la part des téléspectateurs, Don King est toujours à l'affût pour découvrir des espoirs blancs qui peuvent effectuer une percée extrêmement payante.

C'est dans cette optique qu'il a suivi la montée des frères Hilton et qu'il a réussi à leur faire signer un contrat d'exclusivité avec lui, écartant d'un revers de main Frank Shoofey qui était toujours leur gérant officiel.

152

Chose curieuse, Frank ne fut presque pas consulté au sujet de la signature de ce contrat. On ne le prévint même pas quand vint le moment de parapher le document.

Quand il apprit la nouvelle, Frank fit une sainte colère et quand il eut l'occasion de scruter à la loupa les termes du document, il se rendit compte que le contrat n'était pas à l'avantage de ses protégés, mais son décès ne lui permit pas de voir aboutir les négociations.

Depuis, qu'il a atteint l'âge adulte, Frank Shoofey était un sédentaire qui ne participait à aucun sport. Pas question pour lui de jouer une partie de golf ou un match de tennis. Il n'en avait ni le temps ni le goût.

Il se donnait tout entier à son métier, à ses clients, à ses amis et à sa famille.

Cela l'occupait normalement 18 heures par jour, six jours par semaine. Comme de nombreux Nord-Américains, Frank Shoofey était essentiellement un spectateur.

C'était un passionné de baseball. À Montréal il ne manquait que rarement un match des Expos.

Je me souviendrai toujours de cette magnifique journée d'avril 1969 alors que les Expos devaient jouer leur premier match dans la Ligue nationale de baseball.

Frank Shoofey avait réussi à dénicher deux bons billets. Malheureusement, ce jour-là la Cour siégeait. Frank plaidait un procès. Par malheur, l'instruction devait se poursuivre au cours de l'après-midi. Frank trouva une bonne excuse et obtint du juge un ajournement au lendemain matin.

On se dirigea à toute vitesse au parc Jarry pour applaudir Mack Jones, Maury Wills, Coco Laboy et autres. Frank était tout simplement emballé. Il applaudissait à tout rompre les moindres exploits de nos Amours.

Au beau milieu du match, on entendit une voix de stentor.

— Frank! Qu'est-ce que tu fais ici?

C'était le juge qui lui avait accordé un ajournement à la fin de la matinée.

Après le match le juge nous dit:

— Heureusement que tu as trouvé une bonne excuse. Je ne savais trop quel prétexte invoquer pour ne pas siéger cet après-midi.

Au cours des années j'ai dû assister à une bonne centaine de matches des Expos en compagnie de Frank Shoofey.

Il s'était tellement laissé prendre au jeu que, quand les Expos transférèrent leurs pénates au stade Olympique, il acheta les billets de saison du comédien Léo Rivest. À partir de ce moment il devint un spectateur régulier.

Assister à un match des Expos avec Frank Shoofey était toute une aventure. Normalement, je le rencontrais au bureau vers 7 heures.

Il lui fallait alors au moins une heure trente avant de pouvoir décoller. Un client arrivait à l'improviste, un résident de Saint-Jacques avait des doléances à lui faire part. Frank écoutait tout le monde avec une patience angélique.

Puis c'était le moment du départ. La sonnerie du téléphone se faisait entendre. Frank faisait demi-tour et acceptait l'appel. C'était d'ailleurs sa marque de commerce. Frank ne refusait jamais de répondre à un appel téléphonique. Et il en recevait une bonne centaine par jour.

On arrivait au stade Olympique à la quatrième ou cinquième manche. À peine étions-nous installé sur la ligne du premier but, qu'un badaud s'approchait et engageait la conversation avec Me Shoofey. C'était un client citoyen de Saint-Jacques ou encore une connaissance qui venaient lui confier leurs problèmes. Frank les confessait d'une façon sympathique. Si le problème était délicat, il allait poursuivre la conversation avec son interlocuteur sous les estrades.

À peine était-il revenu que son «Paget» lui transmettait un message. Frank filait en douce vers le premier appareil téléphonique pour contacter un client.

Résultat: il ne réussissait qu'à assister à une ou deux manches sans être dérangé.

Frank ne s'en plaignait pas. Il était toujours pleinement heureux quand on avait recours à ses services.

Frank s'est aussi longuement occupé du sport amateur. Durant de longues années, il a été président d'une équipe de baseball de la Ligue junior de Montréal et il savait gâter les athlètes qu'il dirigeait.

Il a aussi collaboré régulièrement avec le Père Marcel de la Sablonnière et il a toujours appuyé les activités du Centre Immaculée-Conception. Tournoi de baseball Pee-Wee, ligue de hockey pour les jeunes, etc.

Quand certaines équipes avaient des problèmes financiers, il n'hésitait pas à fouiller dans sa poche pour les dépanner. Son départ laissera très certainement un grand trou dans le monde du sport où Frank n'avait que des amis.

Chapitre 9

FRANK SHOOFEY:
VICTIME DU SYSTÈME

Qui a tué Frank Shoofey? Jusqu'ici, la police nage dans le mystère le plus complet bien que des soupçons sérieux pèsent sur certains personnages bien connus du milieu. Mais ce ne sont là que des inférences, des conjectures, des spéculations. Et à moins d'un miracle... ou d'un délateur, ce meurtre sordide, répugnant, révoltant, ne sera jamais résolu.

Les policiers pourront avoir une certitude morale qu'ils en connaissent le ou les auteurs, ils pourront avoir l'intime conviction qu'ils sont sur la bonne voie, les rumeurs pourront foisonner dans le milieu qui peut facilement pointer du doigt les coupables; ils ne peuvent rien y faire. Ils ont pieds et poings liés.

C'est le prix du système. Au Canada, c'est le droit anglais qui prime. Et en droit anglais, la Couronne doit, par ses propres moyens, prouver hors de tout doute raisonnable la culpabilité des accusés.

Et ce grand principe est entouré de corollaires qui pèsent très lourd dans la balance. Ainsi, chez nous, l'accusé n'est pas contraignable, ce qui veut dire qu'on ne peut le forcer à donner sa version des faits et encore moins son alibi si d'aventure il en possède un.

Et cela se produit même au niveau de l'enquête policière. Qu'est-ce que cela veut dire en pratique?

Disons que les policiers soupçonnent fortement un certain personnage d'avoir commis un meurtre. Ils ne peuvent pas l'interroger en rapport avec cet assassinat... car chez nous on n'émet pas de mandat d'arrestation sur des soupçons.

Si d'aventure ils réussissent à l'amener à leurs quartiers généraux pour l'interroger, ils doivent obligatoirement lui lire la formule de mise-en-garde avant de commencer l'interrogatoire. Dans cette formule, on prévient l'inculpé qu'on va l'interroger, mais qu'il peut garder le silence s'il le désire. On lui dit même qu'il a le droit de consulter un avocat de son choix avant l'interrogatoire. Cependant si, malgré ce sévère avertissement il est assez idiot pour répondre aux questions qui lui seront posées, les réponses qu'il donnera pourront servir de preuve contre lui lors d'un éventuel procès.

Dans tous les autres pays du monde, sauf dans ceux qui sont régis par le droit anglais, on ne fournit pas ainsi à un accusé en puissance une telle occasion en or de se défiler. Dans un cas similaire, dans les pays de droit français, un juge d'instruction émettra une commission rogatoire aux policiers qui pourront garder le prévenu en garde à vue durant 48 heures et l'interroger à loisir. On le conduira ensuite devant le juge d'instruction qui l'interrogera à son tour. Le prévenu doit alors répondre aux questions qui lui sont posées. S'il refuse, ce refus sera invoqué contre lui lors de son procès.

Les fins de la Justice sont-elles mieux servies par le système de droit anglais ou français? La question n'a pas encore été tranchée et les opinions sont nettement divisées! Il y a quelques années, la Commission canadienne de réforme du droit a amorcé une étude du problème et à un certain moment elle penchait vers un changement radical prônant la contraignabilité de l'accusé, dans des conditions bien précises.

Pourquoi Frank Shoofey a-t-il été cruellement assassiné? Encore une fois on peut faire de nombreuses conjectures mais on ignore encore officiellement le mobile du crime. Cependant, il semble évident que ce soit pour des motifs professionnels. C'est l'avocat et non le citoyen Frank Shoofey qui a été assassiné.

Tout le monde a été unanime à déclarer que Frank Shoofey n'avait pas d'ennemis! Personnellement c'était un homme adorable, serviable qui n'aurait pas fait mal à une mouche. Malgré sa disponibilité légendaire, malgré le fait qu'il ait vraiment pris à coeur le sort de ses clients, Frank Shoofey a tout de même été assassiné... comme un vulgaire mafioso.

CONCLUSION

Il a été victime d'une justice aveugle qui joue depuis trop longtemps à l'autruche en matière de droit criminel.

Le système de droit anglais est un système de droit dit «adversaire». Tout procès est un combat royal entre la Couronne et la défense dans lequel le triomphe de la vérité devient hélas trop souvent accessoire. Et comme la Couronne représente l'État dans toute sa force, on a tenté d'équilibrer les choses en pipant un peu les dés en faveur de la défense.

Malheureusement, il existe une zone grise où il est très facile de confondre la légalité et l'illégalité d'autant plus qu'en telle matière la loi et les règles s'en tiennent à de vagues généralités.

Aussi a-t-on découvert quelques trucs! le «Cours de droit» est l'un de ceux qui sont le plus exploités. Il s'agit d'une technique bien spéciale par laquelle l'avocat expliquera aux clients et aux témoins éventuels les défenses possibles et les versions de faits qui risquent de soulever un doute dans l'esprit des jurés. Il démolira celles qui sont les moins solides, pour ne laisser submerger que la seule version vraiment plausible. Le témoin intelligent n'a aucune difficulté à s'ajuster.

Les choses se compliquent d'autant plus que chez nous, au Québec, nous sommes d'esprit et de tempérament latins et que nous n'avons pas cette longue tradition qui, dans les pays anglo-saxons, remonte à la Magna Carta.

Résultat: les criminalistes sont souvent tentés de couper les coins. D'autant plus que la Justice ferme les yeux sur les situations vraiment insolites.

On dit souvent que le crime ne paie pas sauf pour certains avocats. Et il y a un sérieux fond de vérité dans ce dicton.

Les criminalistes sont en effet les seuls qui puissent toucher légalement les fruits du crime sans être aucunement inquiétés. Il s'agit là d'un phénomène connu de tous et sur lequel on ferme les yeux.

Quand un criminaliste touche une somme de 10 000 $ ou 20 000 $ pour défendre un client accusé de trafic de drogues ou encore de hold-up et qu'il sait pertinemment que ce même client n'a jamais eu d'autres revenus que le crime, il touche sans sourciller les fruits d'une rapine. Sa conscience n'en est même pas troublée. Légalement, on ne peut absolument rien lui reprocher. Mais est-il si pur, moralement? Est-il sans tache vis-à-vis de la société?

Dans le passé il est arrivé à plusieurs reprises que des bandits qui avaient obtenu leur élargissement sous cautionnement ont avoué avoir commis d'autres crimes pour payer leur avocat.

J'ai moi-même été témoin d'une situation tellement incongrue que l'avocat qui y était mêlé s'est senti obligé de faire restitution.

Cela se déroula à la fin des années soixante. Un jeune homme qui était en libération conditionnelle de jour, visita une banque du nord et y commit un hold-up. Il prit la fuite avec la somme d'environ 1500 $. Malheureusement, il fut pris en chasse par deux policiers qui le coincèrent. Le jeune bandit se retourna, mira l'un des agents de la paix, fit feu et l'abattit froidement, le tuant sur le coup.

Le jeune homme se précipita dans une maison du voisinage où il prit en otage une fillette d'une dizaine d'années.

Les policiers cernèrent la demeure et entreprirent un long siège. Au début de la soirée une personne en autorité entra en contact avec moi pour me demander de trouver de toute urgence un certain disciple de Thémis. Le bandit ne voulait négocier que par son intermédiaire. Je rejoignis l'avocat et ensemble nous nous sommes précipités à l'endroit où se tenait la prise d'otage. Ayant pénétré tous les deux à l'intérieur où se trouvaient déjà deux associés de cet avocat on désarma le jeune homme qui remit le produit du vol au disciple de Thémis.

Lors de l'enquête du coroner, l'inculpé avait retenu les services d'un autre avocat. La Couronne avait mis en preuve le montant du vol. Et le policier qui avait accepté la reddition du prévenu dut admettre à sa courte honte, que l'avocat ne lui avait remis que la moitié du montant volé!

167

Devant une telle publicité, le disciple de Thémis fit une discrète restitution… en billets de 100 $, ce qui souleva de sérieux problèmes lors du procès. Pour qu'il n'y ait pas de confusion, je tiens à préciser que cet avocat n'était pas Me Shoofey!

Un autre problème particulier au Québec c'est que les avocats de la défense ont la mauvaise habitude de «marier» leurs clients. En effet, leurs relations, plus souvent qu'autrement, ne sont pas de professionnel à client. Mais bien d'ami à ami.

Il y a quelques années, un avocat fameux décidait d'organiser une grande réception pour célébrer le baptême de sa fille. Mais il devait faire face à un sérieux problème. Il voulait inviter la magistrature, ses collègues de la Couronne, et certains personnages politiques. Il ne voulait pas non plus oublier ses clients avec qui il entretenait depuis fort longtemps des relations d'amitié.

Il décida alors de couper la poire en deux. Il organisa deux réceptions. Une l'après-midi pour les gens honnêtes, l'autre le soir pour les malandrins. Le Tout-Montréal criminel, dont la plupart des mafiosis, se retrouva dans un grand hôtel de la banlieue montréalaise et on célébra la naissance du nouveau-né jusqu'aux petites heures du matin. L'affaire eut un dénouement heureux… pour l'avocat. En effet, fidèle à une tradition séculaire, les mafiosis déposèrent dans la corbeille qu'il avait eu le soin de placer à l'entrée une série d'enveloppes qui lui permirent de régler facilement la note.

Il n'y a pas si longtemps, deux avocats fort connus assistèrent au mariage d'un de leur client nouveau chef de file d'un gang notoire qu'ils venaient tout juste de faire acquitter d'une accusation de meurtre. L'un d'entre eux eut même la gentillesse de lire l'épitre à haute voix.

Peut-on tenir rigueur de tels gestes? Non! Parce qu'ils font partie intégrante du système. C'est le lot de tous les criminalistes. Et ceux qui ne veulent pas se plier à ces coutumes n'ont d'autre choix que de plier bagages. J'ai cité plus haut deux exemples. Il en existe des dizaines et des dizaines.

Il y a quelques années, le juge Jean-Guy Boilard, de la Cour supérieure, lors d'un colloque a mis carrément le doigt sur le problème. Il a mis les criminalistes en garde contre tel geste, leur reprochant, justement, de «marier» leurs clients et il les a prévenus que cela pourrait mal tourner.

Hélas, il avait raison et Me Shoofey a eu le malheur d'être la première victime du milieu.

Mon ami Frank était le premier à pécher en telle matière. Il a assisté à des dizaines de réceptions au cours de sa carrière. Il était de toutes les fêtes, de tous les mariages, de tous les baptêmes de gens du milieu. Il fréquentait assidument les restaurants où ces messieurs tiennent leurs agapes et il en profitait souvent pour solliciter des dons pour les oeuvres qui lui étaient chères.

Il n'avait pas le choix. Sa carrière et ses succès en dépendaient.

Il faut avouer qu'il le faisait avec allégresse! Il se plaisait vraiment à assister à ces réunions plus ou moins intimes où il s'amusait ferme. Parmi ses clients et amis il était toujours très à l'aise.

Mais il avait oublié la loi du milieu! Cette loi inéluctable, non écrite, qui régit les rapports dans le monde gris! C'est une loi dure . . . qui ne pardonne pas.

La présomption d'innocence, le doute raisonnable, le droit à une défense pleine et entière ne jouent pas. Celui qui se sent lésé est à la fois le juge, le jury . . . et l'exécuteur. Et le «procès» se déroule en l'absence de l'accusé qui n'a pas le loisir de s'expliquer. Le verdict est rapide: LA PEINE DE MORT. Et il est sans appel!

Frank avait sans doute oublié que cette loi non écrite veut que les amis se serrent les coudes face à l'ennemi commun: la société! Et que cette sinistre alliance doit jouer inexorablement en faveur du groupe au détriment de tous les autres, fussent-ils eux aussi du milieu. Face aux problèmes du groupe, il n'y a pas de moralité qui tienne!

Les exigences du milieu sont terribles Les besoins du groupe doivent passer avant tout. Et les amis doivent acquiescer aux offres que, de toute façon, ils ne peuvent refuser. Entre amis, il y a des services qui ne se refusent pas. Sinon le groupe sombre rapidement dans la paranoïa.

Depuis déjà plusieurs années, la psychose de la délation mine le milieu. Depuis que des têtes d'affiche du crimes, qui avaient la réputation d'êtres des durs de durs, des gars solides, ont franchi la barricade, les gens du milieu sont inquiets au point de douter de tous leurs amis. Tout est possible. Frank Shoofey a-t-il été victime de cette psychose? On l'ignorera sans doute toujours à moins que le meurtrier ne passe aux aveux!

Les criminalistes montréalais ont été littéralement sidérés par la mort de leur collègue. Et la psychose de la peur s'est installée dans leurs rangs. Le milieu leur a passé un message.